Елена Логунова

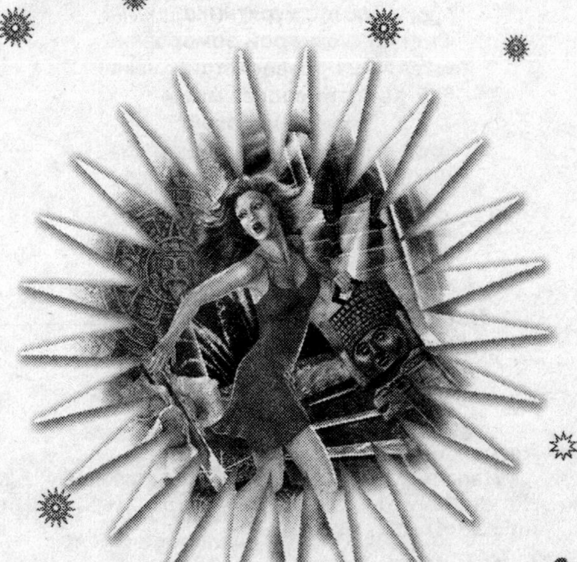

Напиток мексиканских богов

эксмо

Москва

2009

УДК 82-3
ББК 84(2Рос-Рус)6-4
Л 69

Оформление серии *С. Груздева*

Логунова Е.

Л 69 Напиток мексиканских богов : роман / Елена Логунова. — М. : Эксмо, 2009. — 320 с. — (Звезды иронического детектива).

ISBN 978-5-699-33657-9

Таня всегда уступала своей не в меру энергичной подруге. Вот и на этот раз взяла отпуск в апреле, чтобы составить Райке компанию на приморском курорте. Однако отдых сразу пошел наперекосяк — Райка унеслась на очередное свидание и... пропала с концами! А на следующий день в бассейне аквапарка нашли утопленницу — шикарную брюнетку с силиконовым бюстом. Узнав в этом описании свою дорогую подругу, Таня ужаснулась, а вскоре получила от Райки записку с просьбой ни в коем случае не покидать отель. Выходит, она жива, но, как обычно, втянула Таню в какую-то авантюру!..

УДК 82-3
ББК 84(2Рос-Рус)6-4

ISBN 978-5-699-33657-9

Новое время требует новых звезд!
Марина
КРАМЕР
Новая звезда
Криминальной
мелодрамы!
www.eksmo.ru

Звезды
иронического детектива

В компании с ироническими детективами Елены Логуновой всегда весело! Читайте о похождениях тележурналистки Елены и ее боевой подруги Ирки, способной справиться с любым злодеем:

Принц в неглиже
Везет как рыжей!
Конкурс киллеров
Кляча в белых тапочках
Секретная миссия Пиковой дамы
Звезда курятника
Снегурка быстрой заморозки
Коктейль из развесистой клюквы
Красота спасет мымр
Кукиш с икоркой
Брак со стихийным бедствием
Любовные игры по Интернету
Стрела гламура
Афродита размера XXL
Шопинг с Санта Клаусом

Наслаждайтесь приключениями потомственной авантюристки Индии Кузнецовой:

Суперклей для разбитого сердца
Дефиле озорных толстушек
Сеанс мужского стриптиза
Молилась ли ты на ночь?
Банда отпетых дизайнеров
Статуя сексуальной свободы
Спокойно, Маша, я Дубровский!
Руссо туристо, облико морале
На сеновал с Зевсом

Непринужденно и весело решайте детективные головоломки вместе с Тяпой Ивановой:
Ивановой:

Хижина тети Томы
Круговорот парней в природе
Напиток мексиканских богов

— Раиса, нет! — сердито прошипела я.

Шепот получился свистящим, потому что я крепко стиснула зубы. А еще я закрыла глаза, чтобы не видеть плотоядную улыбочку на лице мужика, жадно пялящегося в Райкино декольте.

Врать не буду, там было на что посмотреть: данный ей от природы второй размер моя подруга увеличила до четвертого. И бюст, вскормленный израильским силиконом, оказался настолько хорош, что этим летом гордая Райка вывезла его на историческую родину, где и демонстрировала теперь всем желающим, как большую культурную ценность интернационального значения.

Желающие находились во множестве, хотя до пика курортного сезона было еще далеко: в отель, где мы с Райкой остановились, массово прибывали участники предстоящего международного финансово-экономического саммита. Дам среди них было немного. В подавляющем большинстве финансовый мир представляли энергичные джентльмены, более или менее живо интересующиеся глобализацией как всей мировой экономики, так и отдельных частей женского организма.

Сама я, глядя на немолодых дядечек в деловых костюмах, никакого нежного томления не испытывала. Финансисты и экономисты никогда не были героями моих эротических фантазий и не производили на меня впечатления глубоко законспирированных сексуальных террористов. Однако Райка, аргументированно ссылаясь на философские знания, которые мы с ней вместе получали в университете, утверждала, что даже от плохоньких мужиков отказываться нельзя. Плохоньких мужиков надо брать оптом, ибо переход количества в качество неизбежен! Убежденная в этом, она с радостью наблюдала за вывешенным в холле табло: меняющиеся на нем цифры демонстрировали неуклонный рост числа участников саммита и дарили моей бесстыжей подруге надежду на продолжение постельного марафона с финансистами, чей скудный сексуальный опыт после общения с Райкой обогащался, как плутоний.

— Его жена еще скажет мне спасибо! — самодовольно говорила распутница, пересказывая свою очередную скоротечную лав стори за завтраком.

Слушать про ее постельные забавы мне уже надоело. Эпические повествования о чужой разгульной жизни все больше раздражали: я-то приехала на курорт просто отдыхать, а не испытывать на прочность гостиничные кровати! Сегодняшний день, равно как и два предыдущих, я безвылазно провела в шезлонге и в подражании подрумянивающейся курочке на гриле немного перестаралась. Мой собственный бюст (далеко не такой пышный, как у Райки) и другие открытые участки тела покрылись красным индейским загаром. Голова болела, желудок свернулся в клубочек и жалобно поскуливал. Очень хотелось принять ванну, с головы до ног намазаться толстым слоем крема, заказать в номер ужин, съесть его и завалиться спать, не отвлекаясь на Райкины эскапады.

— Что тебе нужно, так это спа! — одобрила эти планы та часть моей бессмертной души, которая отличается похвальным благонравием и откликается на имя Нюня.

— Точно, СПА и ЖРА! — согласилась моя внутренняя нахалка Тяпа.

Оставалось убедить в этом неугомонную подругу.

— Райка, нет! — снова просипела я.

— Почему — «нет»? — манящим грудным голосом промурлыкала она, выгибая спину и тем самым приближая свои прелести к самому носу невысокого мужика.

Я слабо застонала и снова закрыла глаза. Лифт остановился, пол кабины качнулся — кто-то вышел, кто-то вошел. Потом мы снова поехали вверх.

— Бо-оже, какой большой и красивый! — восторженно вскричала Райка.

Я немедленно распахнула глаза и с облегчением убедилась, что возникшее у меня подозрение, будто безнравственная подружка начала сексуальные игры прямо в лифте, безосновательно. Большим и красивым оказался румяный каравай, похожий на гигантскую шапку Мономаха. Он был украшен разноцветными цукатами и увенчан расписной солонкой. К караваю просилась девица в кокошнике, с косой до пояса и в сарафане до пят, однако ее в лифте не наблюдалось. Высокохудожественное хлебобулочное изделие транспортировал парень в деловом костюме, строгий вид которого смягчал галстук, залихватски заброшенный через плечо.

— Что, нравится? — живо спросил он Райку, которая зафиксировала грудную клетку на вдохе, эффектно противопоставляя караваю собственные пышные булки. — Могу подарить. Денег, красавица, совсем нет, но хлеб-соль я за любовь тебе отдам. Ты как, согласна?

— Какой позор! — неслышно охнула моя Нюня. — Райку снова приняли за ночную бабочку!

— Это ей, конечно, должно быть очень обидно! Она же не только ночью! — хмыкнула Тяпа.

Я промолчала. Ситуация была вполне штатной, ожидаемой и предсказуемой. После эмиграции в Израиль моя любвеобильная институтская подруга несколько месяцев не за страх, а за совесть трудилась в закордонном борделе. Потом-то Райка благополучно вышла замуж за состоятельного старичка и осела в домохозяйках, а недавно превратилась в обеспеченную вдовушку, но ее тоска по активной трудовой деятельности отнюдь не иссякла.

Должна сказать, что мужчины моей подружке нравятся абсолютно все, без исключения. Во времена нашей студенческой юности эта ее всеядность меня шокировала, но, поскольку в иных своих проявлениях Раиса совершенно нормальный, вполне цивилизованный человек, я раз и навсегда постановила считать ее неумеренный сексуальный аппетит отдельным недостатком, который только подчеркивает многочисленные достоинства. Сама Райка позиционирует свою женскую неразборчивость как похвальную заботу о здоровье: она уверена, что секс бесконечно полезнее всех диет, упражнений, лекарств и оздоровительных процедур, вместе взятых. А о своем здоровье моя подружка заботится просто фанатично! К примеру, сразу после прилета в Россию, прямиком из аэропорта, она направилась к стоматологу, чтобы починить зуб — пломба из него выпала во время контакта с жесткой мясной нарезкой, которой потчевали пассажиров эконом-класса. По-моему, дантист сильно удивился, увидев у себя на приеме даму в запыленных одеждах и с чемоданами в заграничных наклейках. Но, судя по тому, что с Райки не взяли дополнительную плату за срочность, доктору здорово польстило заблуждение, будто слава о его профессиональном мастерстве вышла за пределы черноморского курорта на мировой простор. А Райка, заплатив за скоростную починку зуба, еще долго крыла нехорошими словами своего израильского дантиста с фамилией Криворучко и авиакомпанию, которая скармливает пассажирам мясные окаменелости.

Впрочем, история с зубом — это еще цветочки. После вселения в гостиничный номер Раиса потрясла меня тем, что устроила из ванной комнаты филиал частнособственнической палаты мер и весов. На пол она поставила специально привезенные весы, на стену приклеила аккуратную таблицу «Мои идеальные размеры», на крючок для полотенца повесила инструмент для ежедневного контроля за объемами — портновский метр, а на полочку под зеркалом водрузила аптечный пузырек, относительно содержимого которого не могло быть никаких сомнений: наклейка «Образец мочи здорового человека» говорила сама за себя. По настоянию Нюни я тактично воздержалась от расспросов и потому до сих пор не узнала, каким образом Райка сверяет с этим эталоном жидкие отправления своего организма.

— Так как насчет ЭТОГО? — с нажимом спросил мою необыкновенную подругу наш лифтовый попутчик.

— Гм, я никогда еще не делала ЭТО за хлеб-соль! — пробормотала Райка, явно заинтригованная.

Стало понятно, что сей ценный опыт будет приобретен ею в самом ближайшем будущем. Я безнадежно вздохнула и снова закрыла глаза. Лифт остановился, кабинку немного поштормило, и мы поплыли вверх. Потом я услышала женский голос:

— Девушка, вам плохо?

Из-за конторки с табличкой «15 этаж» на меня с подозрением смотрела дежурная.

— Сейчас плохо, — честно сказала я. — Но скоро будет хорошо.

— Конечно, если кровать в номере застелили чистым бельем, а в душе дали горячую воду! — не удержалась от ехидного уточнения моя Тяпа.

Тех глубоко непорядочных людей, которые присвоили отелю «Перламутровый» категорию «три звезды», хотелось поселить в этой гостинице на всю оставшуюся жизнь. Уверена, она бы у них не затянулась: одного сливного отверстия в замшелом цементном полу душевой было достаточно, чтобы испытать острое желание покончить жизнь самоубийством. Я уже три дня боролась с суицидальным порывом броситься с пятнадцатого этажа и побеждала его главным образом потому, что не могла заставить себя приблизиться к балконным перилам. От беглого взгляда на покрывающие их отходы голубиной жизнедеятельности делалось муторно.

— Перламуторно! — опять съязвила Тяпа.

— Если хотите попасть в номер, для начала выйдите из лифта, — тоже не без ехидства посоветовала дежурная.

В кабинке, кроме меня, никого не было. Очевидно, Райка и парень с караваем вышли на предыдущей остановке.

— Какое-то сексуальное обжорство! — с подачи высоконравственной Нюни неодобрительно пробурчала я.

Девица, скучающая на диване в углу холла, услышала мое ворчание, встрепенулась и подобрала ноги. Похоже, она приняла мою реплику на свой счет, и не без оснований: вид у дамочки был такой, словно они с Райкой трудились в том израильском борделе плечом к плечу.

— Точнее, бедром к бедру! — хихикнула Тяпа.

— Хватит уже! — с досадой попросила ее Нюня, которая не любит пошлых шуточек.

— А че хватит? — насупилась дева на диване. — Я ваще тока пришла!

Не удостоив ее ответом, я целеустремленно прошагала по коридору и закрылась в своем номере. В ту же секунду на прикроватном столике затрезвонил телефон.

— Да! — сердито сказала я, сняв трубку.

— Прошу прощения, но я должен сказать вам, что вы редкая красавица! — напористо произнес незнакомый мужской голос.

— Серьезно? — недоверчиво переспросила я, покосившись на зеркало, в глубинах которого пламенело мое краснокожее отражение.

Такая красавица могла бы понравиться только Чингачгуку.

— Я таких красивых еще не знал! — жарко задышал телефонный голос. — Но очень хочу узнать! Я хочу унизиться перед тобой, как мужчина перед женщиной. Ты меня хочешь? Я к тебе приду.

— К чертовой бабушке приходи! — первой среагировала на гнусное предложение Тяпа. — М-мотылек!

Я бросила трубку, сердито посмотрела на свое отражение, швырнула на тумбочку сумку и пошла в ванную, по пути сбрасывая одежки.

Горячей воды, конечно же, не было. Взвизгивая, шипя и ругаясь, я кое-как ополоснулась под холодным душем, завернулась в большое полотенце и прямо в нем, негнущимся свертком а-ля египетская мумия, улеглась в постель с видом на телевизор.

— Да-а-а! — со сладкой мукой в голосе простонала за стеной какая-то дама. — О! О! О-о-о-о!

— Да что же это такое! — возмутилась я, роняя пульт, которым не успела воспользоваться. — Сплошной разврат со всех сторон! Такое ощущение, будто этим тут занимаются абсолютно все!

— И только ты лежишь в постели одна, как полная дура! — поддакнула Тяпа.

— Это возмутительно! — резюмировала Нюня, не уточнив, чем именно она возмущена.

В соседнем номере скрипела и трещала кровать. Я включила телевизор, но идущий по первому каналу унылый сериал не смог заглушить жизнерадостное реалити-шоу «За стеной». Чтобы не слышать этого безобразия, я вышла на балкон и захлопнула за собой дверь. Сразу стало тихо: очевидно, соседи резвились в герметично закрытом номере, довольствуясь кондиционированным воздухом взамен натурального.

А природа-то была хороша! С высоты пятнадцатого этажа открывался потрясающий вид на море, размеренно дышащее в полукольце пологих гор. На темной воде волшебно мерцала лунная дорожка, берег сиял электрическими фонарями, и точно по линии горизонта, как золотая бусинка по черной ниточке, скользил огонек, который на самом деле был, наверное, роскошным многопалубным лайнером. Я замечталась, воображая себя на палубе шикарного круизного судна, и моя Нюнечка с придыханием заахала что-то заманчивое про растрепанные ветром локоны, длинную нитку жемчуга и роскошное шелковое платье с открытой спиной, которую мог бы заботливо прикрыть от свежего морского ветра кто-нибудь вроде Леонардо Ди Каприо... Заглушая все звуки живой природы, в ушах зазвучал проникновенный голос Селин Дион. В подражание героине «Титаника», парящей на носу корабля, я раскинула руки, наклонилась над перилами балкона, и... полотенце, кое-как заменявшее мне вечернее платье с открытой спиной, спланировало вниз, оголив меня полностью!

— Козел-собака! — выругалась моя Нюня самыми грязными своими словами.

А Тяпа выматерилась так, что у меня уши заложило.

Прикрываясь ладошками и искренне сожалея о том, что я не шестирукое божество, которому не составило бы труда спрятать в горстях все свои эрогенные зоны, я отскочила от ограждения и ударилась спиной о балконную дверь. Против ожидания, она не распахнулась, роняя меня внутрь. Я шустро развернулась, налегла на нее плечом, подергала ручку и, осознав, что мои усилия безрезультатны, триединым голосом взвыла:

— Бли-и-ин! Опять заклинило!

С нашей балконной дверью это уже случалось. Не далее как вчера Раиса, перед сном отправившаяся на балкон подымить, застряла там на полчаса и от нечего делать познакомилась с соседом слева — тоже курильщиком. Когда я, выйдя из душа, обнаружила отсутствие в номере подружки и с помощью стального рожка для обуви призвала к порядку норовистую дверь, Райка уже наполовину втянулась за разделяющую балконы перегородку, оставив на нашей территории только нижнюю свою половину. Впрочем, сразу после освобождения она унеслась к соседу целиком, и за стеной началось такое акустическое шоу, что мне пришлось спать в треуголке из подушки. Правда, вернулась Раиса довольно быстро и поутру клеймила соседа позором за нездоровые порывы, без всякого почтения называя его «лысым теоретиком садо-мазо-приколизма».

— Соседа зовут Витя! — моя Тяпа кстати вспомнила имя антигероя Райкиного утреннего рассказа.

— Не вздумай позвать на помощь этого соседа! — всполошилась Нюня. — Он решит — ты хочешь того же, чего и Райка! Ты же совсем голая!

Бесспорно, это была проблема, в комплекте с запертой дверью представляющаяся неразрешимой. Имей я приличный вид, можно было бы попробовать привлечь внимание соседей. Балконы, протянувшиеся по всему фасаду здания, разделяли двухметровые перегородки, немного не доходящие до широких перил ограждения: я могла за них заглянуть, высмотреть на своем уровне или этажом ниже благородного кабальеро, внушающего доверие, и адресно позвать его на помощь. Но примерять роль героини спасательной операции на голое тело я не смела, а никаких подходящих тряпок на нашем балконе не имелось.

— А ты туда посмотри! — изнутри подтолкнула меня Тяпа. — Видишь?

Я посмотрела и увидела соседний балкон, на нем веревочку, а на ней, в свою очередь, — сохнущее полотенце.

— Нет! — пискнула Нюня, сообразив, что к чему.

— Да! — нажала Тяпа. — Не дрейфь! Перила широкие, ты будешь держаться за стеночку и пройдешь, как по гимнастическому бревну.

— Голая? — мрачно обронила я, понимая, что ничего лучшего мне, пожалуй, не придумать.

— А что? Акробатический нудизм! — хохотнула бесшабашная Тяпа.

— И босиком! — напомнила я и с сомнением посмотрела на перила.

Сегодня они были более-менее чистыми. То ли горничная в неожиданном приступе трудолюбия распространила уборку на все территории номера, то ли наш штатный голубь весьма своевременно решил освоить другие балконы гостиницы.

— Не надо, не делай этого, мне страшно! — заныла Нюня. — Упадешь с балкона — погибнешь!

— Останешься на балконе — тоже погибнешь! — возразила ей Тяпа.

Я закрыла глаза, дала волю воображению, и оно охотно нарисовало пару пугающих картин. На одной из них у подножия пятнадцатиэтажной башни лежало мое голое бездыханное тело. На другой картине мое голое бездыханное тело, замерзшее и похожее на неаппетитного синюшного бройлера, скрючилось в углу балкона.

— Есть еще третий вариант, — с дальним прицелом сказала хитрющая Тяпа. — Рано или поздно тебя увидят соседи, они позовут на помощь, и за твое возвращение к жизни будет бороться отряд спасателей или бригада пожарников!

С голыми руками, ногами и всем остальным встречать мужественных бойцов спецподразделений?! Стыдливая Нюнечка, как и следовало ожидать, обрисованной перспективы устрашилась и немедленно подтолкнула меня к перилам со словами:

— О боже, нет! Лучше смерть!

Страх — отличный катализатор. Через несколько секунд я была уже на соседнем балконе, где без промедления сдернула с веревки полотенце. Поспешно замотавшись в него, я ощутила слабость в коленках и обессиленно опустилась в пластмассовое кресло. Задача первостепенной важности — прикрыть наготу — кое-как решилась. Теперь можно было переходить ко второй фазе спецоперации под девизом: «Спасение утопающих — дело рук самих утопающих». В моем случае — застрявших.

— Покричим? — задорно предложила Тяпа.

— Дай хоть отдышаться, — жалобно попросила Нюня.

Полулежа в холодном кресле, я медленно приходила в себя. Реанимационному процессу никто не мешал, в номере царили темнота и тишь. Неуверенным жестом протянув вялую руку, я толкнула балконную дверь и с недоверчивой радостью увидела, что она не заперта!

— Вот это, я понимаю, повезло! — возликовала Тяпа. — А ну, поднимайся, хорош задницу отмораживать, айда в комнату!

Я не заставила себя уговаривать и мгновенно ввинтилась в щелочку приоткрытой двери.

Оконный блок закрывали длинные портьеры. Я целиком уместилась в одну большую складку, заглянула в щелочку между полотнищами — и ничего не увидела. Тогда я приблизила к той же щелочке ухо — и ничего не услышала. Очевидно, в номере никого, кроме меня, не было.

Под прикрытием портьеры я опустилась на корточки и в полной темноте на четвереньках подобралась к просторной квадратной кровати. Она была застелена чем-то скользким.

— Значит, в данный момент там никто не спит, потому что постельное белье в этой гостинице не шелковое, а бязевое! Скользкое — это покрывало, — заключила наблюдательная Тяпа. — Можешь принять вертикальное положение, зажечь свет и осмотреться.

Вспомнив расположение электроприборов в собственном номере, я нащупала над плинтусом розетку, от нее по шнуру добралась до бра и включила его. В приглушенном желто-розовом свете нарисовалась пустая кровать, крайне небрежно застеленная помятым покрывалом, один угол которого сполз на ковер.

— Этот номер лучше, чем твой! — ревниво заметила Тяпа.

— Но разница невелика, — отозвалась миролюбивая Нюня.

По размеру и планировке помещение ничем не отличалось от того, в котором квартировали мы с Райкой, только этот номер был не двух-, а одноместным. Во всяком случае, кровать тут была одна, зато большая. Двуспальным ложе два на два с половиной метра называлось чисто условно, на нем запросто могли разместиться и трое.

— И даже четверо, если в два слоя! — смело пошутила Тяпа.

А Нюня потребовала прекратить бесстыжий треп и подумать о том, что делать дальше.

Это был даже не вопрос — прямое побуждение к действию. Номер типичный, и можно надеяться, что и замок в двери тут такой же, как у нас: снаружи он открывается ключом-картой, а изнутри — поворотом ручки, как обычный английский замок. Со своего места в изножье гигантской кровати я испытующе посмотрела на дверную ручку, и она вдруг шевельнулась!

Опыты телекинеза не удавались мне даже в ранней юности, когда я живо интересовалась паранормальными явлениями в диапазоне от воспламенения взглядом симпатичных одноклассников до спиритических сеансов общения с почившими кавалерами галантных веков. Значит, дверную ручку повернула не я.

— Кто-то идет! — неслышно — ультразвуком, как летучая мышка, — пискнула моя Нюня.

Не теряя ни секунды, я дернула веревочку бра, в наступившей темноте рухнула животом вниз и с проворством ящерицы заползла под кровать. И едва успела втянуться под нее целиком, как синее, точно море, ковровое покрытие позолотила лунная дорожка от распахнувшейся двери. Сквозь частую бахрому покрывала я увидела на пороге темную фигуру, о которой могла сказать только одно: она была двуногая. А мужская или женская — я не поняла.

— Гуманоид, — нервно хихикнула бесшабашная Тяпа.

— Двуногий, но не прямоходящий, — машинально уточнила дотошная Нюня.

Действительно, гуманоид шествовал по сложной кривой с завитушками, каблуками вырисовывая на скучном однотонном ковре персидские огурцы.

— Не, этот парень с Земли, точно! — с уверенностью определила многоопытная Тяпа. — Наш мужик, пьяный в доску!

Гулко хлопнула закрывшаяся дверь. Шелковая бахрома у моего лица взвихрилась, я отползла поглубже, и вовремя: пьяный землянин широким жестом сдернул с кровати покрывало. Я явственно увидела черные кожаные сапоги, такие блестящие, что в позиции лежа я могла бы смотреться в них как в зеркало. Над головой моей хрустнуло: мужик уронил седалище на кровать и завозился, стягивая с себя сапоги. Процесс давался ему с большим трудом, о чем свидетельствовала вдумчивая матерная ругань. Неприличные слова озвучивал довольно приятный баритон, который немного портила пьяная икота. Примерно через минуту рядом с сапогами, зафиксированными во второй балетной позиции, установились ноги в бежевых льняных носках с умильным кантиком из лазоревых цветочков. Стопы недетского сорок четвертого размера размялись, покатавшись с пятки на носок, а потом вознеслись и исчезли. Матрас захрустел, как снежный наст, по которому рысцой пробежал увесистый кабанчик.

— Во мужик! — уважительно прошептала Тяпа. — Здоровенный, как лось!

— Спи, мой лосенок, усни! — тихонечко затянула Нюня, которой не терпелось завершить неожиданное приключение благополучным возвращением в наш законный номер. — В доме погасли огни!

— Лось на кровати лежит! — подхватила Тяпа. — Воздух от храпа дрожит!

— Глазки скорее сомкни! — прошептала я.

И мы слаженным трио закончили:

— Усни-и-и-и!

И пьяный лось с планеты Земля, подчиняясь могучему заклинанию старинной колыбельной, захрапел размеренно, громко и задорно, как трактор передовика социалистического соревнования на героическом подъеме целины.

— Шевелись! — не дожидаясь антракта в сельхозработах, скомандовала Тяпа.

Я послушно шевельнулась и едва не взвизгнула от резкой боли: под локоть мне угодило что-то маленькое, но очень твердое и колючее. Я потерла травмированное место и машинально подхватила с пола неуютную штуковинку. Это была пластмассовая кривулька, подвешенная на цепочку в одном ряду с мелкими горошинами, — какое-то лилипутское ожерелье с подвеской. Я без раздумий надела его на руку, так как, будучи девушкой абсолютно нормальной, отношусь к любым украшениям со здоровым интересом и уважением.

Извиваясь, я выползла из-под кровати, точно раздавленный тяжелой жизнью аллигатор, но вынуждена была сразу же испуганно зарыться в тряпичную кучу: на прикроватной тумбочке засвистал лихим тирольским мотивчиком чужой мобильник, и мужик на кровати перестал выводить носом рулады.

— Я! — вполне бодро сказал он в трубку. — Я, я! Натюрлих. Яволь!

— А лось-то не наш, — тихо шепнула Тяпа. — Не землячок! Заграничный лось — немецкий!

— А нам все равно, откуда он! Хоть с Сириуса! — сердито прошипела измученная переживаниями Нюня. — Уползаем, пока этот немецкий лось ничего не слышит и не видит!

И под пьяное лопотание на чужом языке я вместе с маскировочным покрывалом по-пластунски переместилась в крохотную прихожую. Там, оказавшись вне поля зрения иноземного лося, я встала в полный рост — и обнаружила, что снова потеряла где-то свое полотенце.

— Это уже второе сегодня! Одеяло убежало, улетела простыня! Не везет тебе нынче с махровыми изделиями, — мельком посочувствовала Тяпа.

У нее уже созрел новый смелый план:

— Предлагаю замотаться в покрывало! Ты же умеешь делать сари?

Умение сооружать оригинальные одеяния из мануфактурных изделий постельно-бельевой группы я приобрела еще в пионерском лагере, когда мы с девчонками в незатейливых нарядах из белых простынок а-ля «привидение с моторчиком» бродили по укромным парковым аллеям, злокозненно распугивая целующиеся парочки. Такова была наша страшная детская месть вредным пионервожатым, и я никогда не думала, что этот навык пригодится мне во взрослой жизни.

Оказалось, что делать сари я не разучилась, хотя с шелковым гостиничным покрывалом возни было больше, чем с суровой пионерлагерной простыней. Скользкая ткань так и норовила распутаться, так что мне пришлось подвязать пестрое индийское одеяние этнически чуждыми ему белыми шнурками. Их я вытянула из щегольских кремовых туфель, чьи замшевые носки, похожие на острые мордочки двух любопытных белых мышек, на свою беду выглядывали из обувницы в прихожей.

Из тонкой щелки по периметру входной двери просачивался свет, да и глаза мои успели привыкнуть к темноте, так что непроглядным окружающий меня мрак уже не был. Поэтому мой инстинктивный порыв посмотреть на себя, такую нарядную, в зеркало не был лишен смысла. Отражение меня не слишком порадовало, но и не ужаснуло. Фигура в мешковатом наряде из многослойного пестрого шелка походила и на принцессу Нури, и на чучело с индийского огорода, и на гуманоида с Сириуса, и на рулон линолеума веселой фантазийной расцветки. Чтобы немного увеличить сходство именно с принцессой, я распустила волосы по плечам и пятерней причесала их на относительно прямой пробор, а потом испачкала пальчик коричневым кремом для обуви и нарисовала между бровей аккуратный кружочек.

— Да просто класс! Индира Ганди отдыхает! — самодовольно сказала Тяпа.

Немецкий лось тоже отдыхал, не отвлекаясь на

мое присутствие. Нисколько не желая его беспокоить, я бесшумно нажала на дверную ручку, выскользнула в коридор и аккуратно прикрыла за собой дверь.

— Ну, слава богу! — с облегчением вздохнула Нюня.

Она рано обрадовалась: дверь нашего номера оказалась заперта. Ключа у меня не было, а на стук никто не отозвался. Очевидно, Райкина подвижная игра в «Каравай, каравай, кого хочешь — выбирай» еще не закончилась.

Стоять под дверью было глупо и неудобно. Я вернулась в холл с видом на лифт, села в кресло и стала беззвучно, но горячо молить небеса о скорейшем возвращении подружки с ключом.

Очень скоро моему богоугодному занятию помешала дежурная по этажу. Она вышла из гладильной комнаты, держа в руке вешалку с отутюженными белоснежными брюками, при виде меня замедлила шаг и удивленно спросила:

— А это еще тут откуда?

Не уловив глубинного смысла вопроса, я восприняла его в чисто географическом разрезе и мелодичным голоском, каким, в моем представлении, должна разговаривать благовоспитанная девушка из приличной индийской семьи, ответила:

— Из Бангалора.

— Это где такое? — с подозрением рассматривала меня дежурная.

— Понаехали, блин, таджикские гастарбайтеры! — заворчала вульгарная девка, вольготно развалившаяся на диване. — На стройку иди, чучело, бетон мешай! Че ты сюда приперлась, рожа неумытая?

Такое яростное проявление расизма меня неприятно удивило и обидело. В другое время мы с Тяпой не задержались бы с адекватным ответом, содержащим перечисление всех дефектов рожи, кожи и внутреннего мира гадкой девки. Но блаженная Нюнечка вовремя напомнила нам, что Индия — родина Махатмы Ганди, чья миролюбивая философия снискала одобрение всего цивилизованного мира, и я ограничилась тем, что сказала непросвещенной хамке с кротким упреком:

— Инди, руси — бхай, бхай!

— Ты кого тут учить будешь, чучело?! — отнюдь не подобрела противная девка. — Да я это твое пхай-пхай с тринадцати лет делаю, и еще никто не жаловался!

— Катя! — предостерегающе сказала дежурная.

— А че Катя? Я уже двадцать лет Катя! — девка основательно завелась. — Я, блин, полгода на вокзале как каторжная пахала, пока меня в эту гостиницу поставили, а тут какое-то чучело приперлось и будет мне клиентуру перебивать?!

— Катя! — веско повторила дежурная. А меня неприязненно спросила: — Милочка, ты чья?

— Мамина и папина! — сердито гавкнули мы с Тяпой, отпихнув в сторону Нюню и Махатму с их непопулярным в простонародных массах миролюбием.

— Так Папины девочки на вокзале работают, а Мамины — в ночном клубе на острове! — обрадовалась Катя, и я поняла, что сказала что-то не то. — А ну, вали отсюда, пока я своих мальчиков не позвала!

— И в самом деле, — поддержала ее дежурная. — Шла бы ты на свое место, милочка, что это за мода — самодеятельность разводить?

— Ага, вчера одна выкобенивалась, сегодня другая выпендривается! — злорадно поддакнула Катя.

Она с трудом распутала конечности (они были крупные, рельефные и в позиции «нога на ногу» состыковывались выпуклостями и впадинами, как пазлы), пригнулась, как хоккейный вратарь, подбоченилась и рявкнула:

— А ну, геть отсюда, дешевка!

— Это кто дешевка?! — китайской петардой взвилась моя горячая Тяпа. — Это я дешевка?!

— Девочки, девочки! — дежурная помахала перед нами отглаженными брюками, как белым флагом.

И в этот момент очень кстати подъехал лифт.

— Цыц! — сусликом свистнула на нас с Катей дежурная, проворно убегая за свою конторку.

Лифт лязгнул, двери разъехались, и в холл, грациозно покачиваясь, выступила растрепанная Райка с надкусанным караваем под мышкой.

— Добр вечр! — сквозь хлебную жвачку во рту возвестила она невнятно, но ее тон не оставлял никаких сомнений в искренности сказанного.

Чувствовалось, что вечер у подружки действительно удался, что меня ничуть не обрадовало.

— Харе Кришна! — сердито отозвалась я, не рискуя раньше времени выходить из образа благовоспитанной бангалорки.

— М-м-м? — Услышав знакомый голос, Райка удивленно моргнула, недоверчиво уставилась на меня и после паузы, заполненной задумчивым чавканьем, с легкой обидой сказала:

— Чего сразу «харя»? Ты на свою посмотри! Где измазалась-то?

— В Бангалоре, вестимо! — клокочущим голосом пробулькала я, подхватывая подруженьку под ручку, свободную от каравая.

— Так бы сразу и сказала, что лесбиянка! — в спину мне крикнула Катя.

— О, тут есть лесбиянки? — заинтересованная Райка оглянулась и замедлила шаг, но я не позволила ей остановиться. — Отлично! Нам больше мужиков достанется.

Под разглагольствования подруги, эгоистично одобряющей существование в этом грешном мире любительниц однополой любви, мы прошествовали по коридору, открыли Райкиным ключом-картой номер и скрылись от ревнивого взора Кати за своей дверью с циферками 1-5-6-7.

Номер был легким для запоминания, но у меня на нервной почве случился приступ склероза, что и обусловило дальнейшее развитие событий.

Пока я мокла под душем и тщательно оттирала мочалкой ноги, совершившие затяжную прогулку босиком, Райка успела переодеться и опять упорхнуть. Убегая, она побарабанила в дверь ванной и пропела, перекрывая шум воды:

— Танюшка, я ушла! Скоро не жди!

И я лишилась возможности поведать подруге о моих недавних приключениях и получить в утешение и назидание какую-нибудь глубокомысленную сентенцию из богатых закромов Райкиной житейской мудрости.

— Ладно, лягу спать просто так, без сеанса психоанализа, — вздохнула я и полезла в постель.

Но без психоанализа как-то не спалось.

— Это стресс, — авторитетно сказала Тяпа. — Его нужно снять.

И она развила эту короткую мысль в пространную рекомендацию, суть которой сводилась к тому, что лучше всего стресс снимается вместе с одеждой, в приятном мужском обществе.

— А нельзя ли как-нибудь без этого? — напряглась благонравная Нюня. — Как будто нет других успокоительных средств! Можно выпить валерьяночки. Или выйти на балкон и подышать свежим воздухом.

— Это я уже проходила, — напомнила я. — То есть выходила. И именно так нажила стресс, который теперь как-то надо снимать!

— Тогда — выпить, — согласилась сговорчивая Тяпа. — Но только не валерьяновых капель! Что, в местном баре больше нечего накапать?

Я оделась, спустилась и убедилась, что выбор «капель» в баре на первом этаже отеля весьма велик. Я оглядела стройную шеренгу бутылок, ни одной этикетки не узнала и, не желая показаться неопытной простушкой, ткнула пальцем в первый попавшийся сосуд.

— Пятьдесят или сто? — равнодушно спросил бармен.

— Сто, — сказала я, повинуясь Тяпе, которая фыркнула, что пятьдесят — это несерьезно.

— Смешать или так? — спросил еще бармен.

— Так, — ответила я, опрометчиво послушавшись Нюню, которая заявила, что коктейли — это зло, изобретенное коварными мужчинами специально для спаивания неопытных простушек.

Бармен пожал плечами и на треть наполнил стакан бледно-желтой жидкостью. Похожая на слабый чай, она выглядела вполне невинно, и я выпила залпом, после чего надолго застыла с открытым ртом и выпученными глазами. Желтое пойло, принятое на пустой желудок, выжигало внутренности, взрывало мозг и снимало стресс так же легко, как рубанок — стружку. Отдышавшись, я ощутила себя новорожденным Буратино, свободным от всех грехов этого мира, и почувствовала, что уж теперь-то не просто смогу уснуть, но буду спать, как деревянный младенец.

В компании собственного отражения, блаженно улыбающегося и тяготеющего к шизоидному раздвоению, я вознеслась в зеркальной кабине лифта на пятнадцатый этаж. На заплетающихся ногах прошествовала мимо не признавшей меня дежурной по этажу и с ходу вломилась в номер, мельком удивившись, что дверь не заперта, хотя я перед уходом в бар, помнится, ее захлопнула.

Фил сидел на кровати, нервно обкусывая тщательно отполированные ногти и терзаясь сомнениями. Он решительно не знал, как поступить в нештатной ситуации, которая представлялась ему тупиковой. Неожиданно сломавшийся дверной замок поставил его перед выбором: уйти на заранее назначенную встречу, оставив номер открытым для вторжения незваных гостей, или отменить свидание, ради которого он приехал. Бросать номер открытым Фил не хотел, ибо дорожил своими вещами: добротным дорогим чемоданом, новой итальянской обувью, английскими костюмами и французскими сорочками с золотыми пуговками, стилизованными под запонки. Но отменить встречу он тоже не мог, потому что в таком случае рисковал потерять статус, в отсутствии которого не было никакого смысла дорожить обширным деловым гардеробом. Фил прекрасно понимал: если он по собственной глупости завалит дело и выпадет из списка кандидатов на вакансию в совете директоров, то оставшиеся у руля коллеги с готовностью вытрут о его английский костюм свою собственную итальянскую обувь.

Не зная, что предпринять, Фил осмотрел дверной замок — он не производил впечатления суперсложного механизма. Вероятно, специалисту по запорным устройствам не составит труда его починить. С этой надеждой Фил позвонил дежурной по этажу, изложил ей суть своей проблемы и заручился обещанием в самом скором времени прислать в номер 1565 гостиничного слесаря-сантехника.

Пять минут спустя в открытую дверь одна за другой вошли две крепкие молодые особы в тугих декольтированных кофточках, коротких юбках и сетчатых чулках, которые вряд ли защищали ноги красавиц от ночной прохлады, но зато в свободное от штатной эксплуатации время могли с успехом использоваться в качестве рыболовных снастей.

— Ну, привет! — развязно сказала до черноты загорелая особа с вытравленными перекисью волосами.

— Вот и мы! — двумя руками поправив содержимое тесного бюстгальтера, призывно улыбнулась знойная брюнетка.

— Здрасьте, — растерянно сказал Фил, переводя взгляд с одной девицы на другую в тщетной попытке понять, кто же из них слесарь, а кто сантехник.

Сориентироваться помог чемоданчик в руке пергидрольной блондинки.

— Вы уже с инструментами? — заметив кожаный сундучок, обрадовался Фил.

— А как же! — Блондинка кивнула. — Все здесь. Любой каприз за ваши деньги!

— Я думал, это входит в стоимость проживания, — пробормотал Фил.

Он был не бедным человеком, но бережливым.

— Размечтался! — фыркнула брюнетка.

— Ты хочешь полный пансион? — ласково улыбнулась брюнетка, сочно чмокнув воздух густо напомаженными губами.

— У меня только завтрак, — машинально ответил Фил.

Все его мысли были только о том, как бы не сорвать важную встречу. Именно поэтому он не сразу понял, кто к нему пожаловал. Хотя и отметил разительное несоответствие внешнего вида и манер прибывших девиц представлению о ремонтных работниках, которое десятилетиями складывалось в широких слоях российского населения. Типичный слесарь-сантехник виделся Филу помятым мужичком в комбинезоне со зримыми следами разнообразных ремонтных работ, источающим густой аромат «после вчерашнего».

— Завтрак будет в постель, — пообещала блондинка и открыла свой чемоданчик.

В качестве спецодежды из него был извлечен не комбинезон, а комплект устрашающего вида белья из черной кожи. Инструменты же оказались настолько специфическими, что Фил наконец прозрел и с негодованием вскричал:

— Да вы с ума сошли! Я вызывал слесаря!

— Для тебя, дорогой, я буду кем угодно! — пообещала брюнетка, сноровисто расстегивая пуговки на блузке.

Блондинка с треском потянула вниз застежку молнии на юбке. Взгляд у неё сделался тяжелым и маслянистым, как пушечное ядро в солидоле.

— Уходите! — потребовал Фил, борясь с малодушным ребячьим желанием забраться на кровать с ногами и швырнуть в нахалок подушками — внутренний голос с недетской мудростью подсказывал ему, что от кровати в этой ситуации нужно держаться подальше. — Убирайтесь прочь! Немедленно! Я сейчас вызову милицию!

— Через дежурную по этажу? — добродушно хохотнула брюнетка, деловито стягивая с пухлых плечиков тугую кофточку. — Брось, малыш! Тебе понравится.

Фил затравленно оглянулся.

— Катя, балкон! — предупредила его порыв зоркая брюнетка.

Блондинка, тряся телесами, шустро обошла Фила с фланга и подперла мясистой спиной балконную дверь.

— Я не буду, — беспомощно сказал Фил. — Я не хочу. У меня и денег нет!

— А мы в кредит! — заржала брюнетка.

— Под десять процентов годовых! — захохотала блондинка.

Мозгами финансиста Фил машинально отметил, что десять процентов — это совсем немного, так что ему эта сделка, пожалуй, выгодна, но тут же спохватился и замотал головой:

— Нет! Уходите!

— Трудный случай! — вздохнула брюнетка,

приближаясь к Филу с вздымающейся грудью и руками, расставленными так, словно она приготовилась принять баскетбольную передачу. — Тихо, тихо, милый! Все будет хорошо!

Фил, напротив, уже почувствовал себя плохо. Орать и скандалить, призывая на помощь широкую общественность, ему не хотелось: это поставило бы под удар деликатную миссию, с которой он прибыл в этот идиотский отель. Но не драться же с распутными бабами? Фил был воспитан как джентльмен.

— Вот и молодец, вот и умничка! — заворковала блондинка, ошибочно решив, что клиент созрел.

В этот момент дверь распахнулась, и в номер ввалилась еще одна девица — не брюнетка и не блондинка, с волосами невнятного промежуточного колера, который производители краски для волос льстиво определяют как «темно-русый пепельный». Выглядела она поскромнее, чем Катя с подругой, но вела себя хуже всех.

— Это еще что такое?! — возмутилась она, увидев полуголых девиц. — Вы с ума сошли?! Да кто вам позволил!

Фил с облегчением увидел, что брюнетка запахнула кофточку.

— Пардон, мадам, — сказала блондинка, проворно складывая в чемоданчик свой специфический инструментарий. — Ошибочка вышла! Нам сказали, что тут молодой человек скучает в одиночестве.

— Кто тут скучает? — Пепельно-русая завертела головой, нашла взглядом Фила, топнула ножкой и затрясла кулачками: — Ну, ничего себе! А ну, пошли вон отсюда, сексуальные маньячки! Совсем уж обнаглели — к нормальным людям в номера лезть!

— Не надо кричать, мы уже уходим, — блондинка в перекошенной юбке, прикрываясь чемоданчиком, как щитом, бочком прошла в дверь.

А брюнетка, ретируясь, доверительно шепнула скандалистке:

— Не ревнуй, он нам не дался!

Хлопнула дверь. Пепельно-русая оглянулась на звук, удовлетворенно кивнула, потом повернулась к Филу и, хмуря подбритые бровки, неприязненно спросила:

— Ну? Тебе что, особое приглашение нужно? А ну, лети отсюда! Мотылек!

— Простите?

— Считаю до трех, и, если ты не уберешься, будешь просить прощения у сердитых дяденек в милиции! Раз!

Фил окинул нахалку оценивающим взором и решил, что на продажную женщину она не похожа: одета, как бедная студенточка, — в джинсы и свитерок, на лице — ни следа косметики, на голове — сиротская прическа «конский хвост», на ногах — уютные домашние тапочки. Они разительно контрастировали с брутальным ароматом крепкого спиртного, который в качестве вечернего парфюма гораздо больше подошел бы так и не явившемуся слесарю.

— А вы, девушка, собственно, кто? — спросил Фил грозно сопящую девицу с веселым недоумением.

— Принцесса Гита! — рявкнула та в ответ. — Приехала из Бангалора, живу в этом самом номере! А ну, геть отсюда, а то будет тебе сейчас восстание сипаев!

— В каком, в каком номере? — переспросил Фил, которому адреналин в крови быстро возвращал нормальную сообразительность.

— В этом! В номере одна тысяча пятьсот шестьдесят семь! — отчеканила «принцесса» гордо, словно упомянутое четырехзначное число обозначало год постройки ее родового замка в индийских джунглях. — Все, проваливай. Мне сейчас не до тебя.

Ее сверкающий взгляд задержался на подушке и затуманился тихой нежностью.

— Я все понял, — с усмешкой сказал Фил, направляясь к выходу.

Он действительно понял: крикливая незнакомка ошиблась номером, и эта случайность могла решить его собственную проблему.

Закрывая за собой дверь, Фил увидел, как пьяная «принцесса» бревном повалилась на кровать, и вежливо произнес в щелку:

— Спокойной ночи!

Покоя он совершенно искренне желал не столько незваной гостье, сколько своим вещам и в целом номеру, на двери которого поблескивали цифры один-пять-шесть-пять. Вообще-то Фил был весьма переборчив в знакомствах и не делил постель с кем попало, но в данном случае заблудшая девица в кровати могла кое-как выполнить функции ночного сторожа.

«Для тебя, дорогой, я буду кем угодно!» — вспомнил Фил и ухмыльнулся.

Он немного послушал под дверью и ушел успокоенный.

С такой серьезной охраной в номере можно было не опасаться несанкционированного вторжения: пьяный храп «принцессы Гиты» запросто мог отпугнуть боевого индийского слона.

Назначенная встреча состоялась точно в срок, и уже одно это Фил мог поставить себе в зачет. Однако он не спешил расслабляться и торжествовать раньше времени — важно было не просто встретиться с нужным человеком, но и получить от него информацию.

Нужный человек ждал в баре на первом этаже. Место он выбрал грамотно, как настоящий шпион: в холле было многолюдно, народ беспрестанно сновал от лифтов к входным дверям и обратно, к стойке ресепшена то и дело кто-то подходил — на фоне общей суеты тихий закуток с затененными столиками был абсолютно незаметен. При этом из темного угла, где окопался нужный человек, просторный светлый холл просматривался насквозь. Фил вынужден был сесть к дверям спиной, и это его немного нервировало. Впрочем, его визави тоже волновался: Фил чувствовал это напряжение и отлично понимал его причины. Нужный человек серьезно рисковал, продавая Филу не принадлежащие ему секреты. С беспокойством всматриваясь в затененное раскидистым горшечным растением лицо собеседника, Фил видел, что тот еще не принял окончательного решения.

«Не дай бог передумает! Надо его подбодрить», — озабоченно подумал Фил.

— Я гарантирую, что факт нашего сотрудничества сохранится в секрете, — сказал он, желая успокоить информатора.

Тот нервно хмыкнул:

— Гарантии дает только господь бог! Вы бог?

— Нет, конечно, — Фил скупо улыбнулся, — но люди, которых я представляю, очень и очень могущественны. И им под силу исполнить ваши желания.

— Вы работаете на Золотую рыбку? — усмехнулся его собеседник.

— Пусть будет Золотая рыбка, — добродушно согласился Фил.

— Аллилуйя! — съязвил нужный, но нервный человек.

И Золотая рыбка появилась! За стеклянной лопастью вращающихся дверей солнечно сверкнуло, и в залитый электрическим светом аквариум холла вплыла красивая девица в золотой чешуе от декольте до педикюра, который, впрочем, полностью скрывал хвостатый подол фасонистого платья, — натуральная Золотая рыбка с человеческим лицом! Мужчины в холле провожали ее взглядами, в которых отчетливо читались совершенно определенные желания. И «рыбка» — это как-то сразу чувствовалось — не затруднилась бы их реализовать.

На лице собеседника отразилось смятение, причины которого Фил, сидящий спиной к залу, не понял, но с надеждой подумал: «Он склонен мне поверить. Надо продолжать убеждать его, но аккуратно, мягко, не пережимая». И он сказал:

— Возможно, нынче ситуация нестабильная...

Точно показывая, сколь нестабильна нынешняя ситуация, Золотая рыбонька оступилась, пошатнулась и едва не грохнулась на пол, но была вовремя подхвачена под плавничок проходившим мимо мужчиной в военной форме.

— ...Но мы держим ее под жестким контролем, — ничего не видя, закончил начатую фразу Фил. — Все в полном порядке!

— Даст ист орднунг, — прошептал его собеседник, промокнув лоб бумажной салфеткой.

На мужчине, упорядочившем нестабильную девицу, красовалась новехонькая эсэсовская форма. Штандартенфюрер СС щелкнул каблуками. Фикусную тень на лице нужного человека усугубила глубокая задумчивость. Заметив это, Фил хвастливо подумал: «Я нынче убедителен! Еще чуть-чуть...» — и сказал:

— Вы можете быть уверены: как бы ни повернулось, все будет только к лучшему!

Тут Золотая рыбка, на которую его визави смотрел, как загипнотизированный, повернулась к галантному гестаповцу, и это совершенно точно было к лучшему, потому что такого шикарного бюста нужный человек не видел давно. Может быть, даже — никогда.

— Впечатляет, — невольно пробормотал он.

«Я молодец!» — самодовольно подумал Фил.

Оставив красавицу у стойки ресепшена, молодцеватый штурмбаннфюрер целеустремленно проследовал к лифту.

— А вас, Штирлиц, я попрошу остаться! — пробормотал нужный человек.

«Шпион созрел!» — узнав цитату из знаменитого кино про разведчика, подумал Фил и решительно протянул руку за сложенными вчетверо бумажными листами.

Созревший шпион отдал бумаги без возражений.

— Отлично, — пробежав глазами первый лист,

кивнул Фил и поднялся. — Оговоренная сумма будет перечислена на ваш счет в течение десяти минут. Рад был знакомству. Мои наилучшие пожелания.

— Юстас — Алексу, — хмыкнул уже ненужный человек и зябко вздрогнул.

Уходя, Райка сказала, что она вернется не скоро, и я полагала, что мы с ней увидимся только утром. Завтрак моя подруга еще никогда не пропускала — кофе с тостами под увлекательный рассказ об очередном ночном приключении она почитала за священный ритуал.

Сама-то я утренний прием пищи запросто могла проспать. Желтая бодяга, выпитая в баре, оказалась таким великолепным снотворным, что даже Нюнина наивная вера в чудодейственную силу валерьяновых капель сильно поколебалась. Засыпая, я слышала, как моя тихоня бормочет: «Надо узнать название этого напитка и держать его при себе на будущее». В тот момент мне казалось, что никакого будущего у меня уже нет: сон, в который я погружалась со скоростью утопающего кирпича, был темным и тихим, как средневековый склеп.

Однако пробуждение мое случилось раньше, чем наступило утро. Сначала громко хлопнула входная дверь. Я услышала шум, но не проснулась, только спрятала голову под подушку. Потом меня потянули за ногу, и я волей-неволей вынырнула и из-под подушки, и из сонных глубин. Тяпа моя выплыла на свет божий раньше и уже сердито интересовалась, чьих это рук дело — принудительное спасение утопающих?

— Раиса, у тебя нет совести! — зевнув, провозгласила я бесспорную истину, однако замечание попало не по адресу.

У кровати, дергая меня за щиколотку, обнаженную задравшейся штаниной, высился незнакомый гражданин.

— Ночной грабитель! — ужаснулась Нюня.

— Сексуальный маньяк! — взволновалась Тяпа.

— Чего вам надо?!

Мигом проснувшись, я в панике забилась в угол кровати и подобрала под себя ноги, предварительно лягнув свободной незнакомого гражданина, намерения коего были мне не ясны, но заранее неприятны.

— Я спать хочу, — с подкупающей честностью сказал он.

— Точно, маньяк! — уверилась Тяпа и жестко отбрила: — А я не сплю с кем попало!

— В таком случае я попросил бы вас покинуть мою кровать, — мило улыбаясь, сказал незнакомец.

— В каком смысле? — растерялась я.

— В прямом. Вы залегли в спячку в моей постели. В принципе, я не против предоставить ночлег милой даме с хорошими манерами, но это, кажется, не про вас. Вы так нагло вломились в мой номер и так решительно выгнали из него меня! — уже откровенно потешался мужик.

Я протерла глаза и осмотрелась, проверяя шокирующее заявление, что данный номер не является моим. В убранстве помещения никаких отличий не было — те же полосатые обои, тот же синий ковер, те же пестрые шторы и покрывало. Только флаконов и баночек с кремами на подзеркальном столике не видать, и кроватей не две, а всего одна, большая.

Я соскочила с нее, спотыкаясь, пробежала по ковру и выглянула за дверь: цифры на стене рядом с нею складывались в комбинацию, немного отличающуюся от той, которая была записана в моей карточке гостя.

— О боже! — я обернулась к настоящему хозяину номера и молитвенно прижала руки к груди. — Ради всего святого, простите меня! Не понимаю, как я могла так ошибиться! Мне очень стыдно, простите!

— Простите — и все?

Тут в моей памяти, все еще затуманенной алкогольными парами, наступило прояснение, и я вспомнила, что выгнала из номера не только этого мужика, но и каких-то полуголых девиц, раздевшихся явно не для того, чтобы спастись от перегрева. Мгновенно возникшая мысль о том, что в качестве компенсации за испорченный праздник жизни обиженный незнакомец может потребовать определенных услуг от меня, парализовала Нюню и мобилизовала Тяпу:

— А чего вам еще? Медаль на шею?!

Не дожидаясь реакции на этот откровенно хамский выпад, я выбежала из чужого номера и заскочила в свой (предварительно убедившись, что на этот раз циферки у двери правильные). Циферки были те, что надо, но дверь оказалась не заперта, и в помещении царил такой беспорядок, что я усомнилась — а туда ли я попала?

— Мамочка моя! — ахнула Нюня. — Ну, Раиска дает!

Гардероб был распахнут, чемоданы открыты, а

их содержимое валялось на полу. Картина была жуткая, но мне уже случалось видеть нечто подобное в студенческие годы, когда мы с подругой вместе жили в общежитии. Если Райка, собираясь на свидание, в спешке не могла найти в нашем общем шкафу нужную ей вещь, она бесцеремонно вываливала на пол содержимое всех полок. Тогда уютная девичья комната превращалась в подобие вещевого склада Армии спасения, разбитого шальным артиллеристским снарядом, а наводить порядок потом приходилось мне одной.

— Хоть бы дверь закрыла перед уходом, шалава! — ворчала Нюня, пока я собирала и складывала на место свои и Райкины одежки.

Я с большой степенью вероятности угадывала, как развивались события: очевидно, постельная битва за каравай Райку отнюдь не измотала, и она унеслась на другое свидание, а потом — после перемены декораций и костюма — еще и на третье, причем ужасно спешила.

— И тут ее как раз можно понять, — вступилась за торопыгу Тяпа. — Ты ведь уже знаешь, что по части постельных дел конкуренция в этом отеле невероятно высокая!

Кое-как — без особого усердия — я привела в относительный порядок наше временное обиталище, после чего твердо вознамерилась объявить отбой и отправиться, наконец, на боковую. Я умылась, переоделась в пижамку, нанесла на лицо косметическую масочку из голубой глины — и тут обнаружила, что входная дверь не запирается: что-то случилось с замком.

— Вот ведь гадство какое! — забубнила Тяпа.

Она была еще дееспособна, а вот неженка Нюня нас уже покинула. Мне тоже страстно хотелось обнять подушку, только боязно было спать с открытой дверью. Борясь со сном и подступающими слезами досады, я потерла глаза и от нечего делать позвонила дежурной по этажу. Эта добрая женщина участливо выслушала плаксивый рассказ о том, как страшно мне, одинокой усталой бедняжке, погружаться в объятия Морфея в номере с испорченным дверным замком, и пообещала что-нибудь придумать.

Не прошло и десяти минут, как в дверь постучали.

— Открыто! — крикнула я, не сумев в полной мере скрыть свою досаду по этому поводу. — Войдите!

— Войду, и еще как! — игриво шевеля бровями и бицепсами, пообещал смазливый юноша атлетического телосложения.

Его выразительная пантомима мне не понравилась.

— Вам чего, товарищ? — с подозрением спросила я, собирая в пучок на горле воротник пижамы.

— Чего изволите! — сказал он. — Я все могу.

— И замок починить?

— Какой замок?

Юноша воззрился на меня с нескрываемым удивлением. При этом взгляд его сфокусировался в районе моего пупка, где не имеют никаких запорных механизмов даже заводные куклы.

— Может, он думает, что ты в лучших средневековых традициях носишь под пижамой железный пояс верности? — некстати развеселилась Тяпа. — И это у него неисправен замок?

— Послушайте, товарищ! — сердито сказала я. — Я не знаю, кто вы такой...

— Можешь звать меня Андрюшей, — без приглашения внедряясь в номер, ласково предложил товарищ. — Хотя для тебя я буду кем угодно.

— Дорогой Кто Угодно! А не пошел бы ты... — я не закончила начатую фразу, вовремя сообразив, что матерный посыл игривый юноша может истолковать буквально, и тогда мне снова придется отбиваться от жадных мужских рук ногами. — Туда, откуда пришел! Мне сексуальные услуги не нужны.

— Это нужно всем! — взглянув на меня с ласковой жалостью, убежденно сказал Андрюша.

— Такое ощущение, что для секс-тружеников в этом отеле проводились внутрикорпоративные семинары по улучшению продаж! — не без уважения пробормотала разбуженная Нюня. — Смотри-ка, какие они все тут настойчивые!

А изобретательная Тяпа шепотом посоветовала:

— Если хочешь от него отвязаться, скажи, что тебя не интересуют мужики, потому что ты лесбиянка! Судя по реакции девицы Кати, такие узкопрофильные специалистки у них тут редкость.

Это сработало: узнав о моей нетрадиционной ориентации, ласковый хлопчик Андрюша загрустил и удалился. А я подперла незакрывающуюся дверь тяжелым комодом и, окончательно исчерпав жизненные силы этим оригинальным физкультурным упражнением, завалилась спать.

Леву разбудило нудное писклявое нытье, исполненное такой безнадежной тоски, что ее можно было простить только будильнику, надорвавшемуся в тщетной попытке пробурить бронированные барабанные перепонки хозяина.

— Чтоб ты сдох! — пробормотал Лева.

Не открывая глаз, он охлопал тумбочку и с третьей попытки попал-таки по будильнику, но нервирующее завывание не прекратилось. Лева разлепил ресницы и увидел, что будильник ни при чем. Пищал и ныл кот, застрявший в слишком узкой для него щели двойной оконной рамы.

— Чтоб ты сдох! — гораздо более энергично повторил Лева, кособоко поднимаясь с постели.

Кота хотелось убить. Это желание было не новым: Лева боролся с ним уже полгода — с того самого момента, когда очаровательный котеночек, принесенный Веруней для украшения сурового холостяцкого быта, обмочил его любимые домашние тапочки из белой замши. Тогда только чудо спасло зловредное животное от страшной участи — превратиться в пару прелестных меховых помпонов для испоганенной им обуви. Улепетывая от разъяренного хозяина, котенок выскочил на балкон, с разбегу пролетел в десятисантиметровую щель под ограждением и в свободном падении ухнул с пятого этажа. Мстительный Лева счел случившееся проявлением высшей справедливости и ощутил укоры совести не сразу, а где-то через час — аккурат перед тем, как пришла соседка, обнаружившая чужого котенка барахтающимся в вывешенном на просушку пододеяльнике.

Веруня нарекла кота Барсиком, но Лева называл его Убытком. Получилось красиво и не без аристократизма: Барсик Убыток Левин. Правда, один знакомый интеллигент семито-хамитских кровей ехидно сказал Леве, что триединое имя его кота отчетливо дышит вековечной еврейской тоской, и посоветовал для пущей аутентичности нарисовать на кошачьей спине звезду Давида. Экстерьеру Барсика Убытка и в самом деле не хватало ярких акцентов: его шкура была грязно-белой, с одним-единственным бледно-серым пятном. Этого дефекта кот, похоже, стеснялся и старался его скрывать — никак иначе Лева не мог объяснить привычку Убытка при первой же возможности валиться на запятнанный правый бок и лежать так, не вставая, сколь возможно долго. Впрочем, эту манеру своего питомца Лева только приветствовал: пока Барсик Убыток (сокращенно — Буба) мирно лежал на боку, они оба были застрахованы от неприятных происшествий.

Увидев, что хозяин проснулся, Буба заныл на два тона громче.

— Какого черта ты туда полез? — с досадой спросил Лева, вытаскивая своего бестолкового приятеля из стеклянной ловушки.

— Мя-я, — виновато проблеял спасенный кот.

Он сел на хвост, изумленно оглядел свои бока, сделавшиеся одинаково серыми, и принялся вылизываться — неуверенно, без энтузиазма, явно надеясь, что хозяин скажет: «Да брось ты, к чему это пижонство? Пойдем лучше завтракать!»

— Ну, хоть пыль со стекол вытер, уже хорошо, — пробормотал Лева, привычно находя плюсы в любой ситуации. — Да брось ты, к чему это пижонство? Пойдем лучше завтракать.

Буба мгновенно поднялся и резво потрусил на кухню. Когда туда пришел Лева, предварительно заглянувший в санузел, кот уже сладко спал на эмалированном противне, сиротеющем в углу после окончательного ухода хозяйственной Веруни. Эта картина Леву неизменно умиляла. Было приятно воображать, будто Буба раскаивается во всем содеянном и смиренно принимает роль мясного полуфабриката, готового окончить свой многогрешный жизненный путь в огненной геенне духового шкафа.

— Глядя на тебя, я неизменно задаюсь вопросами, — протягивая руку к жестянке с кофейными зернами, сообщил Лева.

Кот открыл один глаз, поощряя его продолжать.

— И вопросов у меня два: зачем ты пришел в этот мир и почему так долго в нем задержался?

— Мя, — укоризненно скрипнул Буба и снова закрыл глаза.

Он хорошо знал, что получит свой корм не раньше, чем Лева выпьет первый глоток кофе, и научился безошибочно разбираться в звуках, производимых кухонной техникой. Треск и рычание — это кофемолка, жужжание — кофеварка, журчание — готовый кофе, писк — холодильник, небрежно оставленный открытым во время добавления в чашку молока. Лева пригубил свой кофе, протянул руку к кухонному шкафчику и замер, с интересом наблюдая за Бубой. Кот сел и облизнулся. Лева не шелохнулся.

— Мя! — недовольно вякнул Буба, поднимая глаза на хозяина, нарушающего заведенный порядок.

— Вот скажи мне, если ты такой умный, то почему такой балбес? — открывая шкафчик, поинтересовался Лева.

Буба высокомерно молчал, пристально глядя на пачку кошачьего корма.

— Мне показалось, или кто-то имел наглость сказать: «На себя посмотри!» — обернулся к нему Лева.

Буба мудро молчал.

— Ну, то-то! — сказал его хозяин и щедро наполнил кошачью миску вонючими сухарями. — Как ты это жрешь каждый день, я не пойму...

У самого Левы на завтрак были детские йогурты и творожные сырки «Рыжик-пыжик», в немалом количестве собранные им в трех продовольственных супермаркетах города, где проводилась рекламная акция с бесплатной раздачей образцов продукции.

Лева Королев, известный читателям популярного молодежного еженедельника «ГородОК» под горделивым псевдонимом Король Лев, специализировался на репортажах с мероприятий разной степени культурности и вел супервостребованную авторскую рубрику «Халява, плиз!». Лева лучше всех знал, когда, где, в каком количестве и на каком основании в городе и его окрестностях будет производиться раздача слонов и подарков. Наладив разветвленные контакты с многочисленными рекламными агентствами, коммерческими отделами и специалистами по продвижению, Королев развернул свою информационную сеть во всю ширь и поднаторел в сборе разнообразных бонусов до такой степени, что сумел существенно сократить денежные затраты на ведение личного хозяйства. На данный момент прожиточный минимум Левы почти сравнялся с его журналистской зарплатой, каковое достижение являлось несбыточной мечтой всех его коллег по цеху, не исключая высоко оплачиваемого главного редактора.

— Миллион, миллион, миллион алых роз! — раздольным голосом молодой и полной сил Аллы Борисовны запел прерывного действия динамик на столбе, торчащем из-за забора соседнего санатория. — Из окна, из окна, из окна видишь ты!

Если бы Лева выглянул из окна, то увидел бы миллион алых булыжников, составляющих каменистый пляж, залитый теплой кровью утреннего солнца. На рассвете он пустовал, только между штабелей деревянных лежаков бродила, собирая вещички, с вечера забытые легкомысленными отдыхающими, жадная до любой поживы бабка из местных.

— Мя? — неожиданно вякнул кот, вынув из миски с кормом припорошенную крошками морду.

В сухарной присыпке голубоглазый бледнолицый Буба походил на веснушчатую сиротку из русской сказки — не хватало разве что красного, в белый горох, платочка на голове. Повеселевший после кофе Лева затеял было приладить коту головной убор из льняной салфетки, но протестующий мяв поддержал трезвон в прихожей, и веселые игры пришлось отложить.

— Кто там? — шагая к двери, с подозрением спросил Королев.

Он любил гостей, но с большим недоверием относился к визитерам, являющимся до полудня. Девахи, периодически согревающие одинокого Леву своим душевным и физическим теплом, обычно появлялись ближе к вечеру, как и друзья-приятели из редакции и рекламного бизнеса, — этот народ непреодолимо тяготел к богемной жизни, проистекающей в основном во мраке ночи. А кто мог прийти с утра пораньше? Измученный бессонницей сосед, желающий в очередной раз прочесть Леве лекцию о недопустимости нарушения замшелых правил человеческого общежития. Горластая тетка из жэка, собирающая деньги на новую серию бесконечного ремонта. Очередной провинциальный родственник, простодушно полагающий, будто Лева будет счастлив предоставить бесплатный кров на время его отпуска.

Когда Лева унаследовал бабушкин домик у моря, отростки разветвленной корневой системы его генеалогического древа, широко разбросанные по просторам России, получили могучий импульс для пучкования. С приближением лета родичи начинали испытывать непреодолимую тягу к общению с Левой и пускались в путь на юг, как перелетные птицы — целыми стаями. Лева не сильно удивился бы, увидев под дверью двоюродного брата Петруню из Сыктывкара с женой и тремя детьми или троюродную тетю Аглаю из Вологды с собачкой и попугайчиком. Сыктывкар и Вологда раньше других ощущали позыв к перелету на юг. В Сыктывкаре и Вологде в апреле еще не стаял снег, а у Левы термометр в семь утра показывал плюс пятнадцать.

— Даже плюс шестнадцать! — с сожалением отметил Лева, мимоходом взглянув за окно.

Он сложил губы в кисло-сладкую улыбку фасона «Здравствуйте, гости дорогие!» и распахнул дверь.

О чудо! За ней не было ни дяди Пети с чадами, ни тети Аглаи с домочадцами! На лохматом коврике с полустертой ногами незваных гостей лживой

надписью «Добро пожаловать!» зябко перемина-
лась босоногая простоволосая дева в подобии са-
рафанчика из вискозного парео. Полупрозрачный
платок скорее подчеркивал, чем скрывал вырази-
тельный контур стройного девичьего тела. Лева,
настроившийся увидеть бородатого кузена в пухлых сыктывкарских мехах, подавился ритуальной
репликой «Сколько лет, сколько зим!» и смущенно
закашлялся.

— Прив-ве-вет! — простучала зубами дева, бесцеремонно просачиваясь в прихожую. — А я м-ми-
мимо шла, дай, ду-ду-думаю, зайду к хорошему человеку на огонек.

В смородиновых глазах Левы вспыхнули сразу
два огонька: он узнал незваную гостью. Позавчера
эта знойная красотка сама подошла к нему на набережной с откровенно провокационным вопросом: «Как пройти в библиотеку?» Хваткий Лева
вызвался нарисовать подробный план маршрута в
храм культуры и с этой благородной целью привел
деву к себе — благо, благословенный бабушкин
домик стоял в двух шагах от набережной. Естественно, чертежными работами дело не ограничи-
лось, и эта случайная встреча оставила в памяти
Левы массу приятных воспоминаний. Он только
имени красавицы не запомнил. Маша? Даша?

— Да называй, как хочешь! Для тебя я буду кем
угодно! — Милая дева великодушно отмахнулась
от неудобного вопроса своим пламенным парео.

Оно было ярко-красным в белый горох —
именно о таком платке Лева думал минуту назад,
мысленно подбирая недостающий аксессуар для
веснушчатого голубоглазого Бубы. Внутренний
голос вкрадчивым шепотом беса-искусителя тут

же подсказал ему, что это совпадение не случайно. Девушку, которая буквально соткалась из мимолетной мечты, имело смысл задержать в своей жизни хотя бы для того, чтобы оценить степень эфемерности дивного видения опытным путем плотного физического контакта!

— Ты не возражаешь, если я лягу? — спросило тем временем дивное видение, сбрасывая на диван мухомористое парео и являя Леве еще пару веских аргументов в пользу похвального гостеприимства.

— Моя постель — твоя постель! — пылко заверил ее Лева.

— Я в тебе не ошиблась, добрый человек! — с признательностью резюмировала красавица, забираясь под одеяло.

Похоже, она тоже не запомнила Левино имя.

— Девичья память! — хмыкнул Королев.

По его мнению, склероз красавицу не портил. Склероз — не сколиоз!

— Брысь, животное! — шикнул засуетившийся Лева на кота, некстати разлегшегося на полу в ванной.

Наскоро освежившись, он вернулся в спальню в стильном саронге из банного полотенца и с изумлением увидел, что утренняя гостья сладко спит, разметав по одеялу белы руки, а по подушке — черны косы. Лева присел на край кровати и озадаченно поскреб свежевыбритый подбородок. Кудри Маши-Даши были мокрыми и отчетливо пахли морем.

— Дельфин и русалка — они, если честно, не пара, не пара, не пара! — злорадно заорал на улице припадочный санаторский динамик.

— Тс-с-с! Не каркай! — цыкнул на него Лева и поспешно закрыл окно.

На спящую красавицу у него были совершенно конкретные виды — из тех, которыми славны в народе красочные развороты «Плейбоя».

К завтраку меня никто не разбудил, и проснулась я голодная как волк.

— Как два волка! — поправила Тяпа.

Стеснительная Нюня робко молила дать ей кофе или яду. Я не поняла, какой вариант был предпочтительнее.

Посмотрев на часы, я обнаружила, что время утренней кормежки давно прошло, а до обеда еще огорчительно далеко. При таком раскладе спасение голодающих могло стать только делом рук пекаря из ближайшей хачапурной. Наскоро ополоснувшись под душем, я быстро собралась к выходу и, только увидев преграждающий путь комод, вспомнила о неисправном замке. Позвонив сменщице вчерашней дежурной по этажу, я выяснила, что она в курсе моей проблемы и ждет слесаря. На мое счастье, нужный мне специалист (не какой-нибудь смазливый самозванец с обнаженным торсом и в приспущенных джинсах, а молчаливый старичок с полным ящиком полезных железяк) не замедлил явиться. Он починил замок так быстро, что я не погибла в страшных муках, захлебнувшись голодной слюной, и вскоре уже заняла место за столиком под полотняным навесом уличного кафе.

Яичный желток в хачапури по-аджарски был ярким и круглым, как поднявшееся солнце, а кофе по-восточному — крепким и черным, как моя зависть к беззаботным курортникам, возлежащим в шезлонгах у бассейна. Море было еще слишком холодным для купания, но ярко-голубая водица в бассейне с подогревом курилась паром. К сожалению, с учетом полученных вчера солнечных ожогов, сегодня я не могла ни плескаться, ни загорать. Здравый смысл голосом Нюни советовал мне отмокать исключительно в свежем кефире, а голосом Тяпы требовал держаться подальше от яростного ультрафиолета и химической жижи бассейна.

Про состав бассейновой воды мне очень много нехорошего рассказывала Раиса.

— Будешь плавать в общественном бассейне — кожа станет сухой и сморщится, волосы поредеют и выпадут, ногти начнут слоиться, а глаза покраснеют. Про то, сколько вредных бактерий ты проглотишь, я уж и не говорю! — запугивала она, опрыскивая себя в тени аэрария деионизированной термальной водичкой из бутылки с распылителем. — Запомни: плавать в бассейне — вредить красоте и приближать старость!

Я хорошо знала, что спорить с упрямой подружкой — приближать свою смерть, но и отказаться от удовольствия поплескаться в теплой водичке не могла. Поэтому бегала поплавать и повредить своей красоте втайне от Райки — пока она поправляла здоровье в чужих кроватях.

Вспомнив о подруге, я ощутила легкое беспокойство: куда же она запропастилась? Даже завтрак пропустила, невиданное дело... А ведь регулярный прием пищи в Райкином комплексе оздоровительных процедур занимает почетное второе место после постельных!

Неожиданно мое волнение как будто материализовалось: в части водного комплекса, где размещались аттракционы аквапарка, началась какая-то нездоровая суета. С приподнятой над основным бассейном террасы кафе мне были хорошо видны разноцветные пластмассовые горки, грибочки и вышка для прыжков. Обычно в это время дня они пустовали, так как аквапарк открывался только в полдень, зато потом работал до полуночи, звуками разнузданного веселья мешая спать добропорядочным отдыхающим. Признаться, меня радовало, что окно нашего номера выходит на другую сторону и я лишена сомнительного удовольствия созерцать вакханалии пенных дискотек.

По утрам в обход неправильной формы бассейна бродили только кроткие тетки с метлами и совками и мужики с сачками для ловли мусора. Сегодня все было иначе. Я насторожилась, оценив скорость перемещения обычно неторопливых уборщиц, и откровенно встревожилась, увидев подкативший к вышке фургон «Скорой». Следом за ним приехала машина милиции. Выбравшиеся из нее служивые в компании встретивших их охранников подошли к воде и некоторое время с пасмурными лицами всматривались в синюю глубину. Потом какие-то загорелые парни полезли в воду.

Народ у бассейна тем временем тоже понял, что происходит неладное. Люди вставали с шезлонгов и, озабоченно переговариваясь, засматривались поверх ограды на территорию аквапарка. У ворот, ведущих с площадки у бассейна к катальным горкам, встал дюжий парень с непроглядно хмурой физиономией, который останавливал и разворачивал назад любопытных.

Разумеется, мне тоже очень хотелось знать, что происходит.

— Простите, вы не знаете, что там случилось? — спросила я официантку, которая принесла мне счет.

— А что там могло случиться? — Женщина почти равнодушно посмотрела на бассейн. — Опять какой-нибудь пьяный идиот в темноте полез купаться да и утонул!

По ее словам и тону можно было понять, что для аборигенов данная трагическая ситуация не нова, но моя чувствительная Нюня ахнула:

— Что вы говорите! Такое уже бывало?!

— Да такое, почитай, каждый месяц бывает! — хмыкнула женщина, неторопливо отсчитывая мне сдачу. — Только на мартовский праздник мужик утоп. Бизнесмен крутой, а туда же: водки нажрался и пошел куролесить! Красовался перед подругами — сигал с пятиметровой вышки вниз головой. Ну и, видать, неудачно нырнул, оглушило его, захлебнулся и пошел на дно. А девки его тоже пьяные были, какая от них помощь? В общем, отряд не заметил потери бойца. Дядя Вася, наш уборщик, его выловил поутру, уже мертвого.

— Жуть какая! — Я содрогнулась и подумала, что Раиса перечислила мне далеко не все страхи и ужасы бассейновых купаний.

Аппетит у меня пропал, хачапури я не доела и пошла в народ, чтобы узнать последние новости.

Бассейн, в котором еще полчаса назад было бы тесно истощенной кильке, пустовал. Граждане отдыхающие кучковались вблизи шезлонгов, опасливо поглядывая в сторону вышки и обсуждая случившееся. Постояв возле одной группы, я узнала, что этой ночью в глубоком бассейне под вышкой для прыжков в воду утонула женщина. Потолкавшись в другой компании, я услышала, что погибшая была молодой и красивой — мужчины с острым сожалением упоминали о ее замечательной фигуре. В третьей группе граждане знали даже некоторые подробности, а именно, что фигуристую прыгунью на глубине затянуло в открытую сливную трубу. Но даже у этих наиболее хорошо информированных граждан были вопросы. Как случилось, что защитная решетка на трубе была открыта? Почему никто из людей, резвившихся на пенной дискотеке, не заметил, как девушка забралась на лестницу, проход на которую с наступлением ночи, как обычно, был перекрыт застопоренным турникетом? Впрочем, этими вопросами наверняка уже задавались люди из следственной группы. Простых парней из нашей околобассейновой тусовки удивляло другое: как несчастная вообще поместилась в эту трубу — с таким-то бюстом?!

— А что за бюст? — заволновалась я.

— Во! — сразу несколько мужиков, вытянув руки перед грудью, с готовностью показали размеры воистину выдающегося бюста.

Кто-то из дам завистливо цыкнул, а я охнула и, чтобы не упасть, оперлась на вытянутые руки ближайшего джентльмена. Лаконичное описание «молодая фигуристая красотка с большим бюстом» идеально подходило моей подруге Раисе!

— Б-б-брюнетка? — заикаясь от волнения, с трудом вымолвила я немеющими губами.

Кто-то из наиболее хорошо осведомленных подтвердил, что волосы у утопленницы действительно были черные, длинные. Я закрыла глаза и застонала. Народ вокруг быстро сообразил, что убиваюсь я неспроста, и под сочувственное перешептывание меня под белы рученьки проводили к шезлонгу. Однако я не стала рассиживаться.

— Не время нюни распускать! — остервенело рявкнула Тяпа, подгоняя меня мысленными пинками.

Сердце окаменело и ухнуло в пятки — наверное, поэтому походка моя стала неровной. Тем не менее на прямой к воротам в аквапарк я сумела развить приличную скорость.

— Но-но, девушка, потише! — заблаговременно крикнул мне мускулистый гигант, стерегущий проход к месту ЧП.

Будь охранник помельче, я сбила бы его, как кеглю, но совладать с человеком-горой мне было не под силу.

— Вам туда нельзя! — крякнув и лишь слегка пошатнувшись, сказал он, когда я с разбегу врезалась в его клетчатый живот. Словно я была микроскопической вредоносной бактерией, вознамерившейся незаконно проникнуть в желудно-кишечный тракт здоровяка!

— Мне туда надо! — возразила я, топчась и подпрыгивая на его длинных, как лыжи, ступнях. — Я должна увидеть женщину, которая утонула!

— Вот народ! — гигант вздохнул и покрутил башкой, точно бык, на холку которого присел слепень. — Типа, вам больше посмотреть не на что? Гуляйте, девушка! Посторонним вход воспрещен.

Каменно-тяжелые руки взяли меня за плечи твердо и аккуратно, как стальные манипуляторы лабораторного робота — пробирку со смертельным ядом, и я против воли совершила поворот на сто восемьдесят градусов. Сообразив, что в следующее мгновение совковая лопата великанской ладони наладит мое движение в обратном направлении, я отскочила в сторону и с относительно безопасного расстояния плаксиво выкрикнула:

— А я, может, и не посторонняя! Я, может, лучшая подруга утопленницы!

— Звучит гордо, — сухо произнес новый голос.

Я огляделась и высмотрела в группе тонких березок тощенького лопоухого юношу с граблями. Со своим длинномерным инструментом он прекрасно маскировался на местности, однако прозвучавший твердый голос этому щуплому парнишке совсем не подходил.

— Артем Петрович, здравия желаю! — непоколебимый великан поспешно подвинулся.

Из-за его широкой спины выступил совершенно обычный мужик лет тридцати пяти — среднего роста, нормального телосложения, заурядно подстриженный и неброско одетый. Его лицо наверняка понравилось бы ленивому театральному гримеру: такую натуру можно было минимальными усилиями и средствами превратить хоть в мужественный лик положительного героя, хоть в отталкивающую физиономию закосневшего в пороках негодяя. Не лицо, а чистый холст: рисуй, что захочешь! Как сказала бы Райка — «сырой материал». Вот только глаза у этого заурядного типа были неподходящие: очень светлые, дымчато-серые, совершенно колдовские. Взглянув в них, я почувствовала себя измученным долгим восхождением альпинистом, который в неустойчивом равновесии замер на самой вершине Джомолунгмы, завороженно всматриваясь в сизый туман над пропастью. Самоубийственное желание кануть в манящую бездну парализовало Тяпу и подкосило Нюню. Меня даже качнуло!

— Саша, пропусти гражданочку, — без тени эмоций распорядился Артем Петрович, закрывая глаза темными очками и вновь превращаясь в абсолютно заурядного типа. — Слушаю вас, девушка. Вы кто будете?

Впечатление, произведенное на меня бесстрастным Артемом Петровичем, сильно не понравилось гордячке Нюне.

— Ну, чисто кролик перед удавом! — едва очнувшись, досадливо упрекнула она меня и тут же сделала попытку переломить ситуацию, задействовав все наши резервы наглости:

— Что значит — кто я буду? Вас моя следующая жизнь интересует?

— Меня интересует не ваша жизнь, а ее смерть, — едко ответил Артем Петрович.

И я сдулась, как пробитый воздушный шарик.

— Понимаете, у меня подруга пропала! — кривя губы и прижимая к груди подрагивающие руки, сбивчиво объяснила я. — Мы с ней в одном номере живем, а она этой ночью не пришла. Я ужасно беспокоюсь!

— Только потому, что подруга ночевать не пришла? — Артем Петрович цинично усмехнулся. — Может, ее пустили переночевать добрые люди! Подруга, что, тоже хорошенькая?

— Не то слово! — с жаром воскликнула я, не сразу сообразив, что собеседник подарил мне комплимент.

За это польщенная Нюня тут же предложила

лишить его непочетного звания Мистер Заурядность. Обыкновенно мужчины не засыпают меня похвалами: по пятибалльной шкале (если принимать за максимум Клаудиу Шиффер, Мэрилин Монро и Пэрис Хилтон) моя наружность тянет на три с плюсом. А вот Раисе с ее новодельным бюстом и ухоженной парикмахерской гривой вполне можно поставить пять с минусом — и то лишь потому, что она не блондинка.

— Моя подруга — красивая длинноволосая брюнетка с роскошной фигурой! — сообщила я Антону Петровичу.

Тут Мистер Незаурядность сухо крякнул — словно веточка под каблуком сломалась — и сменил насмешливый тон на более любезный:

— Хорошо, давайте поговорим.

Он слегка качнул головой, и громилу отнесло в сторону, как невесомую пушинку.

— Интересно было бы узнать, кто он такой? — заинтересовалась личностью Артема Петровича моя бойкая Тяпа.

— А вы кем будете? — дерзнула спросить я, заимствовав его собственную формулировку.

— Когда-нибудь, надеюсь, генералом, — усмехнулся Артем Петрович.

— Мент! — убежденно шепнула мне Тяпа.

— Или сотрудник спецслужбы! — взволнованно выдохнула Нюня.

— Да какая, блин, разница! — шикнула я на них. — Что менты, что фейсы — одна порода. И те и другие парни крученые, от них хорошо бы держаться подальше...

— Да, да, неподходящая это компания для приличной молодой девушки, — закручинилась Нюня.

— Из хорошей индийской семьи, — язвительно пробормотала Тяпа. — Короче, бангалорские принцессы! У вас комплексов больше, чем в студенческой общаге тараканов! Давите их, или не будет вам счастья! В двадцать восемь лет некоторые девушки уже по третьему разу замуж идут, а кое-кто из присутствующих всего лишь однажды развелся!

На это Нюня обиженно вякнула, что счастье девушки из приличной семьи крученые парни из силовых структур составить никак не могут, а Тяпа в ответ с дурным намеком помянула свинью, которая безрезультатно роется в апельсинах. Тема была интересная, но я решительно пресекла дискуссию, напомнив спорщицам, что у нас тут не боевой поход за мужскими скальпами. Я ожидала, что мне покажут мертвое тело, и собрала всю волю в кулак, чтобы не грохнуться в обморок еще до того, как я опознаю (или не опознаю — это было бы гораздо лучше!) в утопленнице свою пропавшую подругу. Однако ничего более страшного, чем сеанс акупунктуры с пронзительным стальным взглядом вместо иглы, мне испытать не довелось.

Уединившись под сенью большого полосатого зонта, мы с Артемом Петровичем просто поговорили. Причем, загипнотизированная и замороченная дымным и необоримым, как отравляющий газ, взглядом будущего генерала, я с большим опозданием поняла, что обмен информацией был произведен по крайне невыгодному для меня курсу. Я вкратце изложила собеседнику десятилетнюю историю наших с Райкой взаимоотношений и при этом выдала подруге полную характеристику, какой не требовалось даже для вступления в ряды КПСС. А в ответ получила только веское, но абсолютно неконкретное обещание, что те, кто надо, встретятся со мной, если будет нужно. А погибшую женщину мне вовсе не показали!

— Не стоит вам на это смотреть, — экранируя свой сильнодействующий взор непроницаемыми стеклами, безапелляционно заявил Артем Петрович в финале нашей встречи — такой же короткой и результативной, как товарищеский матч национальной хоккейной сборной и команды престарелых ветеранов параолимпийских игр.

Мои робкие возражения услышаны не были. Незаурядный Артем Петрович мгновенно растворился в густой тени под катальными горками, а его дрессированный бронтозавр молча выдавил меня за ворота.

От обиды за себя и тревоги за Раису я разревелась и побрела прочь, не разбирая дороги. Слезы мои были такими едкими, что хваленая водостойкая тушь не выдержала и потекла с ресниц селевым потоком. Это очень плохо сказалось на остроте моего зрения. Не пройдя и десяти шагов, я наткнулась на какую-то жесткую конструкцию, ойкнула и услышала в ответ металлический лязг, деревянный стук и скрипучий бабий голос, сердито поинтересовавшийся:

— Ну, куды ты скочишь?! У тя повылазило?!

— Прости-и-ите! — покаялись мы с Нюней, тоскливым коровьим ревом заглушив хамскую реплику Тяпы, которая именно выскочила, желая сообщить сердитой бабуле, что не ей, плешивой, заикаться о том, у кого что повылазило.

Я присела, помогая бабушке поднять упавшую швабру и перевернувшееся ведро.

— Че ревешь-то? — мигом подобрев, спросила бабуся. — На-кась, утрись!

Я послушно промокнула зареванную физиономию мягкой салфеткой, оказавшейся при ближайшем рассмотрении большим лоскутом чистой и непорочной туалетной бумаги, и виновато посмотрела на маленькую старушку в длинном, не по ее росту, синем халате из облегченной джинсы. Нагрудный кармашек щегольской спецодежды украшал значок-табличка с логотипом отеля. Надпись на бейдже гласила: «Таисия, сотрудник клининговой службы».

— По-русски — просто «уборщица», — перевела всезнайка Нюня.

— Небось хахаль обидел? — не дождавшись моего ответа, предположила бабушка Таисия, называть которую по имени я бы постеснялась — на вид старушке было лет сто. — Поматросил да и бросил? Ох, девки, девки... А то вы не знаете, что на морях все мужики холостые, как патроны, а только верить им никому нельзя — враз обдурят! С вечера он соловьем разливается, а утром ласточкой — фьюить! И поминай, как звали!

Типичная жизненная история, лаконично изложенная многомудрой старушкой, была не обо мне, но сочувственный тон меня подкупил.

— Ох, бабушка! — скорбно вздохнула я, собираясь с мыслями, чтобы внятно пожаловаться доброму человеку на свою эксклюзивную беду.

Однако баба Тася не стала меня слушать. Она уже выстроила стройную картину мира и не собиралась ее менять.

— Ну, милая, не ты первая, не ты последняя! — старушка ободряюще потрепала меня по локотку. — Ты, главное, не сильно убивайся! Руки на себя наложить не вздумай, это уж самое распоследнее дело: и тебе лучше не станет, и другим людям сплошные проблемы и неприятное беспокойство. Вона, нынче девка в бассейне утопла — небось тоже не просто так, а по уважительной причине, да только кому от этого хорошо? Теперича воду надо спускать, трубу чистить, да еще крайнего искать, кто решетку на сливе не закрыл. Кого-то уволят, а то и посадят за халатность, директору нашему штраф впаяют, глядишь, и вовсе аквапарк закроют, а скоро высокий сезон, самое время работать, и тут на тебе — всем нам прямой убыток...

Разговорчивая старушка и сама закручинилась, но ее рассказ вызвал у меня не сочувствие, а болезненный интерес:

— Бабушка, а вы эту девушку, которая в бассейне утонула, сами-то видели?

— Да лучше бы не видела! Господи, спаси! — Баба Тася размашисто перекрестилась. — Че там видеть-то? Девка головой прямо в слив угодила, а там водоворот страшенный. С ее, бедной, всю одежу посрывало и лицо так побило — живого места не найти! Теперь только в закрытом гробу хоронить, чтобы людей не пугать. А, должно, красивая девка-то была: ножки ладные, бутылочками, попка литая, а уж сиськи-то и вовсе на зависть, хоть и силиконовые.

— Откуда вы знаете, что силиконовые?! — ахнула я, похолодевшей ладошкой спешно подхватывая под собственной незавидной грудью стремительно падающее сердце.

— Оттуда, что у ей под грудями шрамики такие, — эрудированная бабуля сухоньким пальчиком очертила полукруг под своим бейджем.

— Точно, это Раиса! — горестно всхлипнула мне в ухо Нюня.

Мне и самой было ясно, что так оно и есть. Однако, против ожидания, страшная правда не повергла меня ни в обморок, ни в истерику. Наоборот, слезы высохли, плечи распрямились, и баба Тася, удовлетворенная переменами в моем облике, одобрительно сказала:

— Ну, так-то лучше! Давай, девка, не кисни. Держи хвост пистолетом!

— Да, пистолет — это хорошо, — пробормотала Тяпа, провожая удаляющуюся старушку рассеянным взглядом. — Пистолет, пулемет, базука какая-нибудь... Черт, знать бы еще, в кого из них пострелять!

— Девочки, девочки! — заволновалась Нюня. — В кого стрелять, что вы?! Это же называется «самосуд», это уголовно наказуемо!

— Минуточку! — Я соображала медленнее, чем мои внутренние голоса. — Мы сейчас о чем говорим?

— Ты еще спрашиваешь?! Хороша подруга! — возмутилась Тяпа. — Мы говорим о том, что смерть Раисы не должна остаться не отомщенной!

— Нет, лично я как раз категорически против кровавой вендетты! — поспешила заявить законопослушная Нюня. — А вот помочь следственным органам найти убийцу — дело благородное, и долг дружбы определенно требует...

— Секундочку! — ошарашенно попросила я. — Вы что, уверены, что Раиса погибла не случайно?

— Где — в бассейне?! — на редкость дружно фыркнули Тяпа и Нюня.

Они могли не продолжать. Мысль о том, что моя поразительно жизнелюбивая подруга совершила суицид, казалась совершенно нелепой. А что до несовместимых с жизнью ЧП, от которых в этом бренном мире никто, увы, не застрахован, то диапазон фатального при всей его потенциальной широте в Райкином случае был не безграничен. При ее нелюбви, если не сказать — ненависти, к водорастворимым химическим соединениям моя подруга имела минимальные шансы закончить жизнь на дне бассейна!

— Другими словами, очень похоже, что утонуть ей кто-то помог, — резюмировала Тяпа.

— И мы этого так не оставим! — звонким голоском принципиальной пай-девочки добавила Нюня.

Я опустилась на гранитный парапет и с недобрым чувством и черными мыслями надолго засмотрелась на огнестрельное украшение курортной набережной — старинную пушку с горкой внушительного вида ядер.

— Алекс!

Лешка подскочил, как ванька-встанька, больно треснулся лбом о верхнюю койку и затейливо выматерился на незабвенном языке предков.

— А еще Оксфорд закончил, мля! — ехидно пробурчал Васька.

Его Нижнетагильский институт физкультуры в высоких кругах ценился не больше, чем церковноприходская школа, поэтому к выпускникам престижных заграничных университетов Васька питал стойкую классовую ненависть.

— Базиль!

Услышав вопль шефа, Васька тоже грохнулся с койки, в падении чувствительно задев Лешкино плечо. Штаны бодигард и референт натянули в синхронном прыжке, протопали в ногу и шумно столкнулись в узком проеме.

— Алекс! Базиль! — продолжал блажить шеф. — Вы где, идиоты?!

— Здесь, Егор Ильич! — в один голос браво гаркнули идиоты, ретиво продираясь в дверь хозяйской каюты услужливым двухголовым монстром.

Шеф сидел в постели и так вибрировал от злости, что его вытянутый пистолетным дулом палец трясся, не позволяя точно определиться с мишенью. Фланелевый ночной колпак на лысой голове Егора Ильича содрогался, как орхидея-мухоловка, самонадеянно заглотившая слишком крупного шмеля. Вышитые на постельном белье ромашки колыхались, как живые.

— Это что?! Что это, я вас спрашиваю?!

— Подушка, — ответил смелый, но глупый Васька.

— Идиот! — закатив глаза, проникновенно пожаловался шеф дубовому потолку каюты.

Самолюбивому Алексу не нравилось, когда его обзывали, поэтому он не стал спешить с ответом.

— Это? — Он осторожно приблизился и обшарил преувеличенно озабоченным взглядом ромашковую поляну хозяйской постели.

Найдя единственный посторонний предмет, он только тогда авторитетно сказал:

— Это волосок.

— Я вижу. Чей?! — истерично взвизгнул раздерганный шеф.

— Может, ваш? — простодушно ляпнул глупый Васька.

— Идиот! — со вздохом повторил плешивый шеф, по-прежнему обращаясь к дубовым балкам.

Голос его сделался тихим, почти ласковым, что однозначно предвещало бурю. Алекс понял, что сейчас начнется дикий ор, и поспешил вмешаться, при этом, в отличие от дуболома Васьки, проявив дипломатичность:

— Что, ваша гостья уже встала?

— Моя гостья? — шеф нахмурился.

В мгновенном приступе солидарности охранник и референт переглянулись, затем глупый Васька подкатил глаза к потолку, а умный Лешка уткнул взгляд в пол, и оба одинаково шевельнули губами. Иметь хозяином беспамятного истерика с непредсказуемыми заскоками было сущим мучением!

— Егор Ильич, вы настоящий джентльмен! — фальшиво восхитился хитрый Лешка, в последний момент заменив комплиментом рвущееся с губ «Вы полный склеротик!». — Простите мне мою вынужденную бестактность. Мы с Базилем, конечно, понимаем, что в определенных ситуациях приближенные великого человека должны быть слепы, глухи и немы...

— Конечно, понимаем! — с готовностью поддакнул ничего не понимающий и, увы, не слепоглухонемой приближенный Васька.

— У вас ведь ночевала дама, — мягко напомнил Лешка.

Егор Ильич приподнял белесые бровки, покосился на пустую подушку, задумчиво рассмотрел покоящийся на ней одинокий длинный волос и вновь поднял пустые глаза на референта:

— Да, я припоминаю... Кажется, мы с ней познакомились на приеме у Бурданяна?

— Да нет же, шеф, вы познакомились с ней в казино! — бесцеремонно влез в беседу охранник. — Барышня проигралась в прах и с горя поставила на кон ночь любви, а вы взяли и выиграли!

— Ах, вот оно что! — озабоченное лицо Егора Ильича прояснилось.

В свои шестьдесят с хвостиком он был глубоко равнодушен к любым барышням, но очень нежно и трепетно относился ко всем без исключения барышам. Ночь любви, продающаяся за деньги, как объект торговой сделки не представляла для него никакого интереса — вне зависимости от личности продажной женщины, будь то хоть сама Клеопатра. Совсем другое дело — ночь любви, доставшаяся в качестве карточного выигрыша! Это была чистая прибыль, а прибылей своих Егор Ильич никогда не упускал, благодаря чему и выбился из простых работяг в депутаты. «Из грязи в князи!» — любил он повторять, из популистских соображений акцентируя занимательный факт своей биографии — он родился в провинциальном городишке с выразительным названием Грязи. Кстати, эту остроумную шутку придумал для шефа Алекс, горазддый на разного рода рекламные хитрости и пиар-выкрутасы.

— Но где же она? — озвучил общее недоумение бестактный Васька, присев, как суматори, и заглянув под кровать.

Словно случайной подругой олигарха была настоящая ночная бабочка, способная незаметно упорхнуть!

Однако через полчаса энергичных поисков, едва не перевернувших яхту, эта версия перестала выглядеть невероятной. От ночной гостьи, поднявшейся на борт под ручку с победоносным Егором Ильичом, на борту депутатского «Сигейта» остались только смутные воспоминания, парчовое платье, золоченые босоножки со стразами и одинокий волосок, с обидным намеком свернувшийся дулькой.

— Неужто утопилась? — первым высказал общее беспокойство прямолинейный Васька.

— С чего бы это? — покинутый олигарх поджал губы.

Предположение, будто жизнерадостная красотка после ночи любви с ним могла наложить на себя руки, оскорбляло Егора Ильича как мужчину.

— Может, она просто уплыла? — попытался смягчить ситуацию деликатный Лешка. — До берега метров пятьсот, не больше, даже ребенок доплывет.

— Так ведь вода холоднющая! — простодушно ужаснулся Васька, большой и теплолюбивый, как слон. — Всего пятнадцать градусов, в самый раз для тюленя!

— Или для морского котика... — задумчиво протянул Лешка, во внезапном озарении увидев ситуацию совсем с другой стороны. — Егор Ильич, я не хотел бы вас напрасно беспокоить, но... У вас, случайно, ничего ценного не пропало?

— ...Ты как в воду глядел! Морской котик, то есть кошка! Спецназовка, мать ее! Мата, так ее, Хари! — возбужденно бормотал Васька десять минут спустя — когда вместе с Лешкой прятался от брызг, захлестывающих корму на крутом повороте, под одним куском брезента.

Яхта дерзко ограбленного олигарха на полной скорости шла к берегу. Неистовый Егор Ильич, со скрежетом раздирая зубами ромашковую наволочку, бился в припадке в своей каюте. В его личном сейфе обнаружилась недостача деловых бумаг, представляющих огромный интерес для конкурентов. В свете этого открытия неожиданное появление и еще более неожиданное исчезновение прекрасной незнакомки с навыками тренированного спецназовца определенно были истолкованы как этапы хитроумного плана, имеющего своей целью нанесение Егору Ильичу большого имущественного вреда — вплоть до низвержения его из депутатов и малых олигархических князей обратно в глубоко провинциальные Грязи.

Пушка была бронзовая и темная, как мои думы. Я смотрела на средневековое оружие массового поражения, со скорбью и печалью вспоминая Раису. Свою веселую, бесшабашную, энергичную и заводную подругу, которой всегда все было нипочем. Худшими человеческими грехами она считала уныние, робость и лень. Рядом с Райкой даже я, наполовину тихоня и трусиха, становилась стопроцентной авантюристкой! Тяпа моя Раису просто обожала, и та отвечала ей взаимностью.

— Танюха! Как бы ты ни отказывалась, на самом деле ты этого хочешь, только еще не осознаешь, — убежденно говорила она, подбивая меня на очередное приключение. — А я раньше тебя угадываю твои тайные желания и исполняю их, как

Золотая рыбка! Давай, смелее! Я знаю, я вижу: в глубине души ты настоящая амазонка!

В глубине моей души русалкой резвилась Тяпа. Райка обращалась напрямую к ней, игнорируя Нюню, боязливо плещущуюся на мелководье, и никогда не ошибалась с целевой аудиторией. Не помню, чтобы мне хоть раз удалось уклониться от участия в Райкиных сомнительных затеях.

— То-то и плохо, — укоризненно молвила Нюня. — Вот не приехали бы мы в этот отель, и была бы наша Раечка жива-здорова!

Мы с Тяпой предпочли отмолчаться — чувствовали за собой вину.

Нашу неурочную весеннюю вылазку на приморский курорт придумала и организовала Раиса. Я честно пыталась объяснить ей, что это плохая идея: я ведь милым образом смогу съездить к морю в высокий сезон, у меня будет полномасштабный и полновесно оплачиваемый отпуск в знойном августе, зачем же мне брать неделю за свой счет в туманном и сыром апреле? Но подруга уже приняла судьбоносное решение и была непреклонна.

— Танюха! Что значит — какой смысл? Ты в зеркало на себя погляди! — орала она в трубку так, словно хотела докричаться до меня из своего Израиля без помощи телефонной связи. — Я посмотрела твою последнюю фотку на сайте «Одноклассники» — это же ужас что такое! У тебя лицо бледно-голубое с прозеленью, как заплесневелый французский сыр! Согласись, гадость?

— Гадость, — охотно согласилась я, имея в виду не свое лицо, а рокфор, от которого, Райка это знает, меня тошнит.

— Поэтому ради спасения остатков красоты и

здоровья ты должна немедленно отправиться на отдых. Пока еще не поздно! — заявила добрая подруга.

Озабоченно засмотревшись в зеркало, я упустила момент, когда еще могла что-то возразить. Райка сделала глубокий вдох и затем без пауз выдала длинную тираду, из которой следовало, что думать поздно, все уже решено и уговаривает меня подружка только из вежливости.

— Я знаю, в глубине души ты просто мечтаешь отдохнуть от работы, подышать свежим морским воздухом и подставить свое бледное анемичное тело теплым солнечным лучам и горячим мужским рукам! — с неподражаемым апломбом выдала она. — Радуйся, твое желание сбудется, ведь у тебя есть персональная Золотая рыбка по имени Райка! Я все устроила, нас ждет прекрасный двухместный номер в отеле у моря! Он достался мне по спецпредложению, очень выгодно, с большой скидкой. Предупреждаю: деньги я уже заплатила, и назад мне их никто не вернет, так что, если не хочешь ответить на мою о тебе нежную заботу черной неблагодарностью, живо пиши заявление на отпуск и пакуй чемоданы!

Деньги, которые никак нельзя вернуть, были веским аргументом. Израильская жизнь научила Райку дотошно считать шекели, хотя от природы моя подруга к математическим упражнениям не склонна — с абстрактными числами она не дружит и даже телефонные номера запоминает с великим трудом. Ввергать подругу в лишние расходы мне было совестно. Я в очередной раз сдалась и уступила Райкиному нажиму. Выклянчила на работе неделю за свой счет, купила новый купальник и приехала на курорт. О чем теперь ужасно сожалела и душевно терзалась, считая себя косвенно виновной в том, что у нашей сказки про Золотую рыбку оказался такой плохой конец, и не зная, кого винить в гибели подруги.

На парня, проскочившего между мной и пушкой, я обратила внимание только потому, что Нюня задумчиво пробормотала:

— Смотри-ка, опять этот мужик с большим и красивым!

Ляпни нечто подобное Тяпа, я бы сочла сказанное пошлой шуточкой, недостойной моего внимания и крайне неуместной в этот печальный момент. Но заподозрить в несвоевременной игривости простодушную Нюню было невозможно, поэтому я послушно посмотрела — и увидела прилизанного типа с расписным караваем.

— Интересно, где он берет эти хлебобулочные артефакты? — забыв про страдания, заинтересовалась Нюня. — Такую буханку в розничной сети не купишь, это явно хенд-мейд! Может, товарищ — коллекционер и собирает авторские работы из теста?

— Тогда он не отдал бы свой вчерашний каравай на съедение Райке! — возразила Тяпа.

Тут я ойкнула и подпрыгнула, словно гладкий гранитный парапет подо мной неожиданно пророс колючкой. Это же вчерашний мужик с караваем! Один из последних людей, видевших мою погибшую подругу живой!

— И не только видевших, — напомнила Тяпа. — С этим коллекционером караваев Раиса вчера вечером пообщалась очень тесно. И не к нему ли она потом убежала снова, так сказать, для продолжения банкета?

Банкет и каравай ассоциировались крепко-накрепко. Я мгновенно решила, что непременно должна поговорить со вчерашним Райкиным кавалером, чтобы выяснить, когда и при каких обстоятельствах они расстались. Вот и нашлась отправная точка для расследования зловещей истории о безвременной смерти моей дорогой и любимой подруги!

— За ним! — скомандовала Тяпа.

Парень с караваем садился в такси. Я успела услышать, как он сказал водителю:

— В аэропорт, живо, я опаздываю! — и яростно засемафорила другому наемному экипажу.

— Куда спешишь, красавица? — лениво поинтересовался водитель.

— Надо же, второй комплимент за полчаса! — шепнула мне польщенная Тяпа. — Утро нельзя назвать совсем уж скверным!

— В аэропорт, живо, я опаздываю! — не отвлекаясь на всякую ерунду, озабоченно повторила я.

— Чертовы р-р-раздолбаи!

Сеня Васильчук потянулся к подносу и ухватил сухую баранку так, словно это было не мирное хлебобулочное изделие, а ручной снаряд для прицельного броска в лобовую броню вражеского танка. Впрочем, позавчерашняя баранка была немногим мягче камня. Вздумай Сеня запулить ее в голубую даль, в небе над аэропортом стало бы на один самолет меньше. Баранка была страшно твердой, а Сеня очень сильным и жутко злым.

— Какого хрена я должен ломать голову, как это все разруливать?! — закусив баранку и сделавшись похожим на разъяренного быка с медным кольцом в носу, проревел Сеня.

По Сене было видно, что он легко и даже не без удовольствия сломает пару-тройку голов вышеупомянутым чертовым раздолбаям, однако даже такие радикальные меры не позволяли решить заковыристый вопрос: как отправить к месту приземления самолета Высокого Гостя всех Чуть Менее Высоких Встречающих, если их набежало аж восемь душ, а свободных автомобилей у Сени осталось всего два? Причем все встречающие, как на подбор, равнозначны по статусу и категорически не желают делить место в транспорте с себе подобными!

— Молодой человек, вы просто не понимаете, с кем имеете дело! Я руководитель Южного банка! — вытирая потеющий лоб просторным клетчатым платком и делаясь похожим на арабского шейха в национальном головном уборе, занудно повторял дородный чернобровый встречающий.

— А я руководитель Сибирского банка! — запальчиво сообщал редковолосый блондин.

— Но самым крупным подразделением банка является наше, Северо-Западное! — бухтел откровенно лысый толстяк.

Самолет, который уже заходил на посадку, вез Высочайшего Банкира страны. Конкурирующие за внимание шефа банкиры поплоше злобно зыркали друг на друга и еще более нехорошо смотрели на Сеню. На их гладких розовых лицах читались угрозы, высказывать которые Средневысокие Встречающие, однако, не спешили. По Васильчуку было видно, что ему не особенно противна идея уравнять количество персональных автомашин и капризных встречающих путем массового истребления последних. Он не считал банкиров венцом творения, и банки его в этот момент интересовали только консервные — лучше всего, с тушенкой.

— Гос-с-споди, как мне все это надоело! — простонал Сеня, нахлобучивая наушники. — Первый, Первый, ответь!

— Я — Первый, — послушно прохрипела рация.

— Вот молодец, — желчно пробурчал Сеня, которого после бессонной ночи и с голодухи раздражало абсолютно все. — Первый он! Куда там! Второй! Слышь, Второй!

— Второй на месте.

— И на том спасибо. Тринадцатый! Тринадцатый!! Тринадцатый, твою дивизию, ты оглох?! — Сенин яростный вопль запросто мог оглушить буйвола.

— Арсений Сергеевич, Тринадцатый — это мы, — без эмоций подсказал замначальника аэропорта, бывалый дядька Андрей Андреич, который в свое время сажал в Питере самолеты «Большой восьмерки» и после этого свято уверовал в существование на земле рая и ада, из коих первый еще не найден, а последний определенно находится на территории нашей родины, периодически незначительно меняя дислокацию.

В последние дни адское пекло локализовалось в районе курортного аэропорта: на международное финансовое толковище слетались ВИПы со всей Европы. Сейчас в воздушном пространстве над городом находились четыре самолета с Первыми Лицами страны. Каждый лайнер следовало сажать без промедления и принимать со всеми возможными почестями. Не вытанцовывающаяся встреча злополучного банкирского борта сбивала и без того напряженный график. Андрей Андреич с ужасом предвидел наступление момента, когда он вынужден будет сказать пилоту Наиглавнейшего Лайнера: «Прошу прощения, прокружите еще четверть часика, у нас тут живая очередь». После этого им с Сеней осталось бы только занять очередь на расстрел.

— Да пошли вы все! — взревел несдержанный Васильчук, широким взмахом руки указав склочным банкирам направление движения.

С таким экспрессивным посылом колонна встречающих могла пешим ходом дойти до края вселенной, с неизбывной радостью попутно приветствуя космические лайнеры чужих миров.

— Встали! Построились в колонну по два — и айда на поле! — яростно командовал харизматичный Васильчук.

Андрей Андреич, за тоскливыми думами пропустивший пару Сениных императивов, с изумлением увидел самолет, в нарушение всех правил эффектно подруливающий прямо к зданию аэровокзала. Лайнер красиво обошел размещенные в строгом порядке самолеты, развернулся перпендикулярно общему построению, причалил к входу в ВИП-зал и замер, ткнувшись носом в редкую крону ближайшей березки, точно проголодавшийся жираф.

— Неплохо встали! — пробормотал впечатленный Андрей Андреич, с уважением посмотрев на ушлого Сеню, сумевшего-таки раскусить неразрешимую задачку про два автомобиля и восемь эгоистичных персон.

— Вперед, вперед, шевелимся, встречаем нашего дорогого ВИП-банкира! Теперь все в равных условиях, без автомобилей, на своих двоих! — подгонял тот нерасторопных встречающих.

Мимо Сени и Средневысоких Банкиров, на бегу оправляя расшитый поддельными жемчугами сарафан, пробежала долговязая красавица из протокола, за ней Коля Комарин с дежурным караваем, а за ним — еще одна девица, незнакомая, без всяких этнических прибамбасов, но с таким напряженным лицом и сосредоточенным взглядом, что даже нахальный Васильчук не дерзнул поинтересоваться ее личностью и целью появления.

По ровным строчкам морщинок на сурово нахмуренном лбу девицы удобочитаемыми огненными рунами было начертано: «Не влезай, убьет!»

Парень с караваем целеустремленно рысил через ВИП-зал, явно торопясь приблизиться к самолету, который гостеприимно замер у самого выхода. Вот уж не думала, что лайнеры подают к подъезду, как такси!

Сквозь стеклянную стену я увидела трап, накрытый красивой ковровой дорожкой, и испугалась, что преследуемый мной незнакомец с разбегу взбежит по ступенькам и улетит в туманную даль, не ответив на мои жизненно важные вопросы.

— Смертельно важные! — поправила меня Тяпа.

— Стойте! — крикнула я, сама и не думая замедляться. — Стоять, не двигаться!

И, не придумав страшилки посерьезнее, брякнула:

— Госнаркоконтроль!

— Что такое? — прилизанный тип обернулся.

— Это вы мне скажите, что это такое! — я сдернула с крутой выпуклости каравая полную солонку. — Ага, белый порошок! Наркокурьерствуете помаленьку?!

— Это просто соль. Хлеб-соль! — сказал предполагаемый наркокурьер таким веским тоном, каким Пирс Броснан в кино говорил: «Меня зовут Бонд. Джеймс Бонд!»

— Предъявите для проверки! — я бесцеремонно вырвала из рук хлебосольного типа усыпанную цукатами полусферу.

— Сеня, откуда тут взялась эта сумасшедшая? — возмутился ограбленный.

— Сумасшедшая, ты откуда взялась? — спросил крепкий рыжий парень, переводя заинтересованный взгляд с меня на каравай и обратно.

Мне показалось, что я услышала, как он сглотнул слюнки.

— Неужели завуалированный комплимент, третий за утро? — размечталась тщеславная Тяпа.

Но мы с Нюней были более самокритичны и решили, что аппетитное чмоканье рыжего спровоцировано не моей красотой, а хлебобулочной. Каравай был заметно пышнее и потрясающе пах свежей выпечкой, а не дурацкими духами с никому не нужными феромонами.

— Неважно, откуда! Я вернусь туда, как только получу ответы на свои вопросы! — огрызнулась я, крепко обнимая каравай, к лаковой корочке которого крепко прилип вожделеющий взгляд рыжего.

— Не мни хлебушек! — заволновался прилизанный «Бонд». — Мне сегодня с ним еще семь делегаций встречать!

— Круто! — торжествующе хмыкнула Тяпа, живо смекнув, что обладание представительским караваем дает мне рычаг для давления на прилизанного. — Почти библейская история про кормление толпы голодных семью хлебами! Кстати, о вечных сюжетах: что вы знаете о судьбе девушки, с которой провели минувшую ночь?

— Да какая девушка?!

— Красивая девушка, фигуристая брюнетка по имени Раиса!

— Да какая Раиса? — прилизанный отчаянно косил на стеклянную стену, за которой серебрилась самолетная туша и пестрела ковровая дорожка.

Перед еще пустым трапом идеальным полукругом выстроились хорошо одетые мужчины, каждый — в классической позе футбольного полузащитника. Казалось, они закрывают собой стеклянную стену аэровокзала от пушечного удара мячом, который должен вылететь из открывающегося люка.

— Сеня, скорее отними у нее хлеб! — бессильно застонал прилизанный.

— Не прикидывайтесь, будто ничего не помните, Райку трудно забыть, а вы заплатили ей за любовь вчерашним караваем! — скороговоркой протарахтела я, пряча расписную буханку за спину.

— Девушка, я не знаю, какие у вас планы на сегодняшний каравай, но лично меня и вчерашние условия вполне устраивают! — встрепенулся рыжий.

— А вот это уже не просто комплимент, а самое настоящее гнусное предложение! — обрадованно запрыгала Тяпа в глубине моей души.

Я отвлеклась на ее кульбиты и прозевала тигриный прыжок рыжего-бесстыжего. Он налетел на меня, как торнадо, закрутил волчком и вырвал из рук каравай.

— Ребята, ВИП уже пошел! — крикнул кто-то.

Краем глаза, затягивающегося жгучими слезами детской обиды, я увидела, что на площадку трапа выкатился шаровидный господин в щегольском костюме из блестящей серой ткани.

— Коля, пошел! — велел рыжий, ловко перебросив фигурный хлеб прилизанному.

— Маня, пошла! — скомандовал прилизанный Коля, прицельно роняя слегка помятый каравай на расписной поднос в руках длинноволосой дылды в кокошнике.

— Банкиры пошли! — проплывая к выходу, сообщила хлебосольная Маня.

Деловые полузащитники мелко семенили ногами, аккуратно сжимая полукольцо у трапа. Маня с караваем и подталкивающий ее в худую парчовую спину Коля Бонд выдвинулись наружу. Самоходные стеклянные двери с тихим шорохом сомкнулись за ними, и в опустевшем зале сразу стало тихо.

— Да пошли вы все! — с большим чувством произнес рыжий Сеня, не затруднившись конкретизировать непечатный адрес. — И вы, девушка, тоже идите, пока я вас милиции не сдал!

— Давайте, сдавайте! — я рассердилась и пошла вразнос. — А я там расскажу, что именно с этим вашим прилизанным Колей провела ночь девушка, чье мертвое тело нынче утром нашли в бассейне! И будет тогда ваш товарищ не мне, а сердитым дядям в милиции ответы давать! Посмотрим, как ему это понравится! На нарах сидеть — это вам не с караваем бегать!

— Гм, с караваем бегать тоже кому-то нужно, — пробормотал рыжий и шумно поскреб заросший подбородок. — У нас тут все при деле, и каждый человечек на счету...

Он испытующе посмотрел на меня и неожиданно предложил:

— Как насчет чаю? С баранками. Заодно и поговорим.

Я, конечно, согласилась, но баранку получила всего одну, и ту совершенно зубодробительную. Так что гостеприимство рыжего не поразило меня широтой, хотя он и попытался набить цену своему скудному угощению — вручая мне твердокаменное колечко, проникновенно сказал на хрустальной слезе:

— Последняя! От себя отрываю.

И я так живо представила этот рывок от себя в исполнении гранатометчика, что даже не удивилась, услышав за спиной громкий хлопок. К счастью, это был никакой не взрыв — громыхнула резко захлопнутая дверь.

— Ай, нэнэ, нэнэ, нэнэ! — приплясывая и хлопая себя по коленкам, на цыганский манер запел прилизанный Коля. — От нас уехал наш любимый, Супер-Пупер дорогой! Й-эх! Сенька, когда нового барина ждать?

— Минут через пять, — ответил рыжий, сверившись с наручным хронометром. — Подойдите к нам, Николай Васильевич! Тут одна приятная девушка имеет к вам много неприятных вопросов.

— Опять она?! — узнав меня, Николай прекратил хореографические упражнения и перестал улыбаться. — Сеня, я ее боюсь! У нее ко мне какой-то нездоровый интерес.

— Конечно! — сощурилась я. — Зато у вас был весьма здоровый интерес — вчера, в лифте, когда вы мою подружку к себе в номер калачом заманивали!

— Кстати, о калаче! — Прилизанный приоткрыл захлопнутую было дверь и громко позвал:

— Марина! Много ли барин хлеба-соли откушали?

— Отломил кусочек! — послышалось из соседнего помещения. — Маленький! Не беспокойся, я на это место вареньем капну и заплатку из цукатов прилеплю, будет совсем незаметно!

— Какие кадры, а? Решают все! — Николай послал в проем милостивую улыбку, закрыл дверь и подошел к нам.

— У него есть три минуты, — снова посмотрев на часы, предупредил меня рыжий и поднялся. — Потом сядет следующий борт, и надо будет встречать министра. Не задерживайте ответственного товарища!

— Не задержу, — пообещала я. — Пусть только честно все расскажет.

— Клянусь говорить правду, одну правду и только правду! — пообещал прилизанный, занимая стул, освобожденный рыжим. — Ладно, без шуток. Что вы хотите знать?

— Когда вы расстались с моей подругой? — без промедления приступила я к допросу.

— Минут через тридцать после того, как с ней познакомился, — без запинки и, как мне показалось, честно ответил Коля. — Чем мы занимались эти полчаса, рассказывать? А то я могу правду и только правду...

— Не надо, — буркнула я.

Полчаса — это было похоже на правду. Не знаю (но догадываюсь), что делали в это время моя подруга и ее приятель, а я как раз успела принять душ, постоять на балконе, там случайно обнажиться, перебраться по парапету в соседний номер, полежать под чужой кроватью, выползти из-под нее, завернуться в покрывало, посидеть в образе индийской принцессы в холле — и тут как раз вернулась Райка. Она на минутку заскочила в ванную, потом уступила ее мне, а сама снова упорхнула. Куда?

— В тот вечер она больше не приходила к вам? — спросила я прилизанного.

— Нет, не приходила, — ответил он, не сумев в полной мере скрыть своего сожаления по этому поводу. — Да я и не ждал. Другого каравая у меня не было, и деньги тоже закончились...

— И что? — обиделась я за подругу. — Райка же не ради денег, она не такая, как эти, гостиничные!

— Она гораздо круче, — согласился мой собеседник, мечтательно жмурясь. — Я подарил ей казенный каравай, за который кондитерский цех ресторана заломил полторы тысячи рублей, и ничуть об этом не жалею! Да что каравай! Я ей еще пятьдесят баксов дал, и тоже не жалею! Я бы даже сотню дал, просто в заначке больше ничего не было.

— Райка взяла с вас деньги?! — неприятно удивилась я.

Я была уверена, что моя легкомысленная подруга скачет из одной постели в другую не корысти ради.

— Горбатого могила исправит! — съязвила обычно кроткая Нюня.

И осеклась, вспомнив, что могилу для морально горбатой Раисы, наверное, уже копают.

— Значит, больше вы мою подругу не видели, — повторила я.

— Почему не видел? Видел! — неожиданно возразил Коля. — Я после нашей бурной встречи на балкон вышел — покурить. Стоял, дымил, смотрел вниз и увидел, как она вошла в казино. В таком желтом блестящем лапсердаке с хвостом.

— Парчовое вечернее платье фасона «Золотая рыбка»! — Я тут же вспомнила этот шикарный подружкин наряд и снова не усомнилась, что свидетель говорит правду. — А какое казино — то, которое в нашем отеле? Не то «Феникс», не то «Феликс»?

— «Сфинкс».

— Ну, поговорили? — над моим плечом навис рыжий Сеня. — Закругляйтесь, пора принять министра.

К министру прилизанный Коля рвался всей душой. Меня быстро выпроводили из ВИП-зала, и я побрела на автобусную остановку, бормоча себе под нос:

— Мистер Твистер — бывший министр, мистер Твистер — миллионер, владелец заводов, газет, пароходов, приехал зачем-то в СССР...

За каким чертом явился в Советский Союз буржуйский министр из детского стихотворения, я забыла намертво, и это почему-то меня сильно беспокоило.

— Вот все мне ясно...

Васька замолчал, двигая челюсть вперед-назад, как ящик комода.

«Полный идиот!» — с интонациями склеротического депутата Егора Ильича Колчина молвил внутренний голос его референта. Лешка саркастически усмехнулся. Он по опыту знал, что заявление «Мне все ясно!» в большинстве случаев равнозначно признанию «Я ничего не понимаю!».

— Я не понимаю только одного...

Зафиксировав челюсть, квадратный Васька сходства с предметом мебели не утратил.

— Если эта девка уплыла с нашей яхты в чем мать родила, то как же она забрала с собой шефовы бумаги? Они же в воде размокнут!

«Не полный идиот», — с сожалением отменил собственный вердикт Лешкин внутренний голос.

— Она могла положить бумаги в какую-нибудь герметичную емкость, — предположил он.

— У нее не было никаких герметичных емкостей! — напомнил упрямый Васька и покраснел.

— Она могла найти что-нибудь подходящее на яхте! — занервничал Лешка. — В камбузе есть пластиковые контейнеры, а в баре — бутылки с завинчивающимися крышками!

— И как бы она потом плыла — с бутылкой-то? — не унимался приставучий Васька.

— Как, как! Молча! — рявкнул Лешка.

— В смысле держа бутылку в зубах?! — простодушно восхитился Васька. — Голая, одна-одинешенька в холодном ночном море... — Он явно представил себе эту картину и уважительно присвистнул: — Спецназ «Морские котики»!

— Вася! — проникновенно сказал раздерганный Лешка. — Если мы с тобой не найдем эту драную морскую кошку, то тоже поплывем в холодное ночное море и тоже голыми, но не с бутылками в зубах, а с кирпичами на шеях, и прямиком на дно! Рыб кормить! Всей-то разницы, что не в одиночку, а парой!

— Мы ее найдем, — помрачнев, пообещал Васька.

И не удержался — покосился на гостеприимно распахнутые двери суши-бара. Ему не хотелось кормить собой рыб. Хотелось, чтобы наоборот.

Лешка по сторонам не глазел и направился прямо к портье. Встав у стойки, как певец у рояля, он кашлянул, пробуя голос и привлекая к себе внимание. Текст драматического монолога ему предстояло сочинять по ходу пьесы.

Васька тоже подошел к стойке и замер за спиной товарища, по привычке расставив ноги на ширину плеч и сложив руки на ремне. Выглядел он внушительно, как гранитный обелиск, и желания вступать с ним в контакт у мыслящих существ не вызывал. Граждане отдыхающие обходили монументального Василия по широкой дуге, и у стойки ресепшена образовалась тихая гавань.

— Слушаю вас, — вертлявый портье послал дежурную светлую улыбку поверх головы невысокого Лешки.

Улыбка врезалась в бугристую грудь Василия и разбилась на неуловимые атомы.

— Мне нужна ваша помощь в одном вопросе, любезный, — Лешка понизил голос, давая понять, что вопрос деликатный, и прикрыл глаза, сосредоточиваясь на устном творчестве. — Видите ли, я ищу девушку...

— Сейчас устроим, нет проблем! — любезный портье поднялся на цыпочки и призывно помахал ручкой.

Из низкого мягкого кресла, энергично барахтаясь, выбралась молоденькая блондинка. Волосы и ноги у нее были очень длинные, а юбка и маечка — очевидно, для баланса — очень короткие. Блондиночка кокетливо улыбнулась и завертела узкими бедрами, символическим жестом одергивая юбочку. Вдохновенно жмурящийся Лешка этого явления не заметил, а Васька со скрежетом повернул на девяносто градусов гранитную башку, и блондинка упала как подкошенная.

— Девушка — брюнетка, среднего роста, с пышными формами, — ничего не видя, продолжал вещать Лешка.

— Можно и брюнетку, — услужливый портье перегнулся вправо и поцарапал воздух скрюченным пальчиком. — Такая подойдет?

На этот раз обернулись и Васька, и Лешка. Сдобная брюнетка с жесткой гривой мустанга и мягкими коровьими губами с готовностью переступила копытами.

— Стоять, Зорька! — неласково скомандовал ей Василий.

— Я ищу совершенно конкретную девушку, — терпеливо объяснил Лешка. — Минувшей ночью она играла в вашем казино. Думаю, она живет в этом отеле.

— Совсем необязательно! Она могла прийти с улицы. Казино открыто для всех, и гостей в нем всегда много, потому что наше заведение лучшее в городе, — с легкой обидой в голосе сообщил портье.

— Вряд ли она пришла с улицы, — возразил Лешка. — На улице ночью прохладно, а на девушке было очень открытое платье.

— Длинное платье! — добавил Васька.

Это прозвучало так неожиданно и веско, что и портье, и Лешка уставились на него, приоткрыв рты.

— Подол платья волочился по земле, — объяснил Васька. — Если бы она пришла с улицы, подол был бы испачкан. А он был чистым. Я бы увидел пыль. На золотой ткани она была бы хорошо заметна.

Лешка удивленно хлопнул ресницами — он не ожидал от товарища такой проницательности. Портье отреагировал более бурно — заволновался всем телом, заиграл лицом:

— Вчерашняя красивая брюнетка в длинном золотом платье?!

— Вы ее видели? — Лешка подался вперед.

Портье ее видел и запомнил надолго. Немудрено — пышногрудая брюнетка в длинном золотом платье, эффектная сама по себе, подошла к стойке ресепшена под ручку с блестящим офицером вермахта.

— С кем, с кем?! — утицей недоверчиво прокрякал Василий.

— С фашистом, — упростил ответ Лешка, почесав в затылке.

Фашист, по словам портье, в лобби не задержался, а вот золоченая брюнетка прилегла грудью на стойку, жарко дохнула на смущенного портье дорогим коньяком и попросила передать письмо в один из номеров отеля.

— Где это письмо?! — массивный Васька накренился и навис над портье, как падающая башня.

— В какой номер?! — налег на стойку Лешка.

— Я не имею права... — заюлил встревоженный портье.

Умный Лешка полез в карман за бумажником, но грозный Васька сэкономил ему деньги гениальной фразой, достойной кассового голливудского боевика:

— Ты имеешь право на жизнь, сопляк. Но не злоупотребляй им!

— Номер пятнадцать шестьдесят семь, — быстро выговорил портье, опасливо поглядев на каменный Васькин кулак, похожий на тунгусский метеорит, противоестественно зависший в воздухе. — Это на пятнадцатом этаже. Я передал конверт дежурной!

Василий с ускорением затопал к лифту.

— Васька, стой!

Лешка, пыхтя, ворвался в лифт. Василий уже наставил гранитный палец на нужную кнопку.

— Васька, это ее письмо — не наши бумаги! — с сожалением сказал Лешка. — Ты соображай, время не сходится: в золотом платье девка гуляла, пока не подкатила к нашему шефу. Его драгоценные бумаги она свистнула уже позже и с яхты смылась голышом!

— Соображаю, не дурак! — охранник вонзил перст в кнопку 15 и пришпорил лифт. — Бумаги не наши, но девка-то самая та! Письмецо ее нам на фиг не нужно, а вот с адресатом познакомиться не помешает. Авось узнаем, на кого наша красотуля работает!

— Ну, где же они? — ныла моя Нюня, пока я меряла шагами гостиничный номер. — Артем Петрович сказал, что те, кто надо, придут поговорить, когда будет нужно! А они все не идут и не идут!

— А им не нужно, — злобно проворчала Тяпа. — Вы нашу милицию не знаете, что ли? Они заявление о пропаже человека только через трое суток принимают, да и то лишь от родственников! Вот и свидетельские показания собирают так же несуетно. Тань, ты этих коллег Артема Петровича скоро не жди!

— Я их вообще не жду, — вздохнула я. — Помоему, им мои показания без надобности. Я же буду упорно утверждать, что смерть Раисы не случайна, а такая скверная история тут никому не нужна — ни администрации отеля, ни местным властям, ни органам. Это же антиреклама! Что это за курорт, на котором людей убивают? Да еще во время крупного международного мероприятия с участием суперважных лиц! Другое дело — несчастный случай, это всюду бывает... В общем, я уверена, что Артем Петрович и его товарищи и меня слушать не станут, и душегуба искать не будут.

— Значит, его должна найти ты! — заключила Тяпа.

Мы с Нюней согласно промолчали, но с чего начинать поиски, куда бежать и за что хвататься, было непонятно. Все-таки моя фамилия не Марпл!

Не придумав ничего лучше, я устроила ревизию Райкиного гардероба. Интересовали меня, в первую очередь, подружкины купальники — у нее их имелось пять, разной степени открытости. И все до единого оказались на месте!

— Она не взяла с собой даже любимое мини-бикини, и это еще раз доказывает: уходя вчера из номера, купаться Раиса не планировала! — заключила Нюня. — Ох, не по доброй воле она оказалась в бассейне...

Я вновь подумала, что по доброй воле моя подруга с ее водофобией полезла бы в бассейн разве что в скафандре полной защиты, но рационалистка Тяпа потребовала не отвлекаться:

— Чего Райка не надевала, мы уже выяснили. А что же она надела?

Я оставила комод и взялась за платяной шкаф. Не все подружкины тряпки были мне знакомы, да я никогда и не пыталась запоминать чужие одежки, но отдельные Райкины наряды забвению не подлежали. Я прекрасно помнила, что в день приезда моя дорогая подруга отутюжила кучу вещей и среди них — очень приметное парадно-выходное парчовое платье с открытой спиной и клешеной юбкой а-ля «русалочий хвост». Теперь в шкафу не было ни этого платья, ни золоченых босоножек на пятнадцатисантиметровых шпильках. Поскольку эта пафосная и жутко неудобная обувь с любыми нарядами, кроме чешуйчатого русалочьего костюма, комплектовалась примерно так же, как хрустальные туфельки Золушки — с кочковатым картофельным полем, резонно было предположить, что в свой последний путь Раиса ушла вся с ног до головы в гламурном золоте. Это подтверждало информацию, полученную от прилизанного Коли. Следовательно, мисс Тане Марпл для продолжения самостийного расследования имело смысл наведаться в гостиничное казино «Сфинкс».

— Кстати, Раечка еще и никакой сумочки с собой не взяла, — по инерции договорила Нюня. — Просто не нашлось у нее подходящей золотой, а ее розовая не гармонировала с парадным нарядом.

Вот и телефончик в оставленной сумочке лежит, и косметичка со всеми мазилками, и кошелек...

— Без денег, — заметила я, проинспектировав оставленное подружкой портмоне. — Странно... Деньги-то при себе у Раисы наверняка имелись, без них в казино делать нечего. Куда же она их спрятала? Никаких карманов на ее золотом платье не было.

— Подумаешь, проблема! — фыркнула многоопытная Тяпа. — А чулки на что? Под облегающее платье Райка ни белья, ни колготок никогда не надевала, только чулки, а под их широкую резинку запросто можно пару-тройку купюр засунуть — и надежно, и незаметно, особенно если захоронку поместить с внутренней стороны бедра. Короче, решено: как только стемнеет — идем в казино!

До темноты было еще часов семь, не меньше, и все это время надо было как-то скоротать. Ни есть, ни спать я не могла — очень уж разволновалась, и на одном месте сидеть у меня не получалось — ноги дергались, норовя сорваться с места, словно под звуки сказочных гуслей-самоплясов.

— Пойду куда глаза глядят! — решила я, продолжая фольклорную тему, и открыла дверь.

Постоять на пороге, меланхолично бормоча: «Налево пойдешь — коня потеряешь, направо пойдешь — сама пропадешь», не довелось. С направлением взгляда и последующего движения помог определиться сосед — тот самый, из апартаментов которого я вчера упорхнула в фантазийном образе индийской принцессы. Определенно, мое карнавальное сумасшествие было заразительным: на парне, выступившем в коридор, красовалась военная форма, знакомая миллионам российских телезрителей по бессмертному сериалу «Семнадцать мгновений весны»!

— Хайль... — растерявшись от неожиданности, брякнула я, но тут же спохватилась (сказалось патриотическое воспитание) и отважно надерзила соратнику Мюллера и Бормана:

— Вернее, Гитлер капут!

— Натюрлих... — рассеянно согласился ряженый.

Мундир у него был отутюженный, сапоги начищенные, а физиономия чисто выбритая, но безрадостная.

— Что-то фрица сильно беспокоит, — с удовольствием констатировала моя Тяпа.

— Победы Советской армии? — предположила исторически грамотная Нюня.

— Швайне хунд! — тихо выругался эсэсовец, посмотрев на часы.

— Никак опоздали к краху Третьего рейха? — мимоходом съязвила я.

В конце коридора гигантской грушей замаячила коричневая с зеленым фигура корпулентной дамы в гостиничной униформе.

— Девушка! — встрепенувшись, на чистом русском воззвал к ней карнавальный Мюллер. — Это вы горничная? Ну, сколько вас ждать?! Я же сказал — у меня времени мало, полный цейтнот!

— Точнее сказать — полная задница! — выругалась хмурая горничная себе под нос — я бы не услышала этого, если бы как раз не проходила мимо. — Че творится с замками, ниче не понимаю, хоть вовсе слесаря не отпускай! За два дня — третья сломанная дверь!

— Похоже, у герра офицера возникла проблема

с обороной рубежей! — без тени сочувствия заметила бойкая Тяпа. — Ха, то ли еще будет при взятии Берлина!

— Ой, девушка, возьмите! — горничная неожиданно обернулась ко мне.

— Что взять — Берлин? — не успев сменить пластинку, хихикнула моя Тяпа.

— Вот, письмо.

Тетя Груша протягивала мне бумажный конверт — белый, почти квадратный, с логотипом отеля и аккуратной надписью, исполненной мелким витиеватым почерком: «Для г. Ивановой».

— Что это еще за некультурное «гэ»? — с претензией заворчала привередливая Нюня. — Надо писать не «гэ», а «гэ-жэ», то есть госпоже!

— Небось прислали счет за починку сломанной двери! — заволновалась Тяпа. — В этих «приличных» отелях вечно норовят содрать с постояльца три с половиной шкуры за каждую дополнительную услугу!

С подозрением рассматривая конверт, я прошла по коридору в маленький холл и остановилась, дожидаясь лифта.

На сей раз никаких девочек по вызову в холле не наблюдалось.

— Спят еще, — хмыкнула циничная Тяпа.

Зато у барьера, отгораживающего окопчик дежурной по этажу, стояли два господина в деловых костюмах. Если бы не стандартный прикид респектабельных бизнесменов-финансистов, я бы решила, что вижу перед собой еще пару ночных мотыльков из богатой коллекции нашего замечательного отеля: уж очень сильно джентльмены отличались по типажу. Один — ухоженный блондин с изящными манерами, другой — дюжий молодец, похожий на молотобойца, ряженного банкиром, которому в качестве жизненного принципа идеально подошел бы юмористический девиз: «Куй железо, не отходя от кассы». Этот второй производил неслабое впечатление даже со спины, и не только потому, что она у него была шириной с двустворчатый шкаф. Свои темные очки он развернул наоборот, стеклами назад, и под черными окулярами затылок смотрелся зверовидным, в сплошной щетине, безносым лицом, а складки на загривке походили на длинный безгубый рот. Выглядело это пугающе, однако у меня почему-то не возникло желания увидеть настоящую физиономию эффектного господина. Что-то подсказывало, что и она мне несильно понравится.

— Девушка, вы не с шестьдесят седьмого? — прервав доверительную беседу с колоритными банкирами, громко спросила меня дежурная — такая же грушевидная и буро-зеленая, как горничная.

— Конечно, нет! — возмутилась я, вообразив, что тетя Груша-2 бестактно интересуется годом моего рождения. — Я с восемьдесят первого!

Тут как раз подоспел лифт, я вошла в него и, пока неторопливые двери съезжались, как половинки театрального занавеса, успела услышать крик дежурной:

— Клав, ты письмо в шестьдесят седьмой уже отдала?

По тому, как разнотипные господа вытянули шеи в ту же сторону, я поняла, что ответ на прозвучавший вопрос их очень живо интересует.

4 - 9769

— Токма что! — донеслось из глубины правого коридорного рукава.

— Ц-ц-ц! — сухо поцеловались створки лифта.

Кабина пошла вниз.

— Танечка, а ведь это ты из шестьдесят седьмого номера! — удивленно и пока еще не испуганно сказала Нюня.

— И что? — напряглась я.

— Письмо! — напомнила Тяпа.

Я посмотрела на конверт, «токма что» врученный мне горластой горничной Клавой. Похоже, «банкиры» интересовались именно этим письмом! С какой, интересно, стати?

— Пожалуй, это не счет за починку двери, — поменяла свою версию Тяпа. — И вряд ли эти «банкиры» пришли предложить тебе кредит для погашения задолженности. Не пора ли открыть конвертик?

— Только не здесь! — воскликнула Нюня. — Вдруг эти двое торопятся тебя догнать?

Красные цифры в окошке над вторым лифтом, действительно, менялись с убыванием. Я не осталась посмотреть, кого привезет кабина, шустро шмыгнула в ближайшую открытую дверь и оказалась во внутреннем дворике.

Там было тихо, спокойно и безлюдно. На лавочке под цветущим сиреневым кустом сиротела, трепеща страницами, забытая кем-то газета, на фигурной плиточке дорожки, ведущей к невидимому за зеленой изгородью бассейну, медленно просыхали чьи-то мокрые следы. Я присела на скамейку, взяла газету, развернула ее и спряталась за бумажным экраном, как это делают шпионы в кино. Посидела так пару минут, ожидая погони с криками: «Где эта, из шестьдесят седьмого?!» и «Держи ее, держи!», но благодушное спокойствие моего оазиса осталось непотревоженным. На третьей минуте я почувствовала себя пугливой дурой и отменила режим маскировки. Я убрала в сторону газету, открыла адресованный мне конверт и достала из него небольшой бумажный листок.

Сверху его украшал логотип отеля с адресом и телефонами, а снизу красовался незабываемый автограф Раисы Лебзон — хитрый вензель, который Райка придумала для себя еще на первом курсе, а затем пять лет доводила до совершенства на скучных лекциях, предпочитая каллиграфические упражнения прозаическому написанию конспектов. Стенограммы более или менее вдохновенных речей наших преподавателей делала только я, чем и испортила себе почерк. А вот Райка руку берегла и выписывать красивые буковки не разучилась: над изящным вензелем из двух стильнючих закорючек тянулись ровные строчки: «Тнюха, номер оплачен до конца недели. Не вздумай съехать!»

Строчки-то были ровные — спасибо линованной бумаге, а вот буковки в словах клонились в разные стороны. Это не только придавало каллиграфическому шедевру моей подруги своеобразную прелесть, но и наводило на мысль об алкогольном происхождении ее писательского вдохновения. Определенно, в момент сотворения записки Раиса была нетрезва: на бумаге она потеряла буковку в моем имени точно так же, как глотала в подпитии гласные в устной речи.

— Да не о том ты, Танька, думаешь! — досадливо одернула меня Тяпа. — Пьяная она была или трезвая — не суть важно. Ты вникни в смысл ее слов. Райка черным по белому написала: «Не вздумай съехать!» Выходит, она предполагала, что такое желание у тебя возникнет?

— Оно и возникло, — доложила Нюня. — Честно говоря, совсем не хочется возвращаться в шестьдесят седьмой номер...

Я представила, как расслабленным прогулочным шагом подхожу к своей двери с циферками 1567, а по обе стороны от нее атлантами разной степени могучести высятся сомнительные «банкиры» — блондинистый красавчик и щетинистое чудовище. Косматые лапы здоровяка смыкаются на моих плечах, я тряпичной куклой взмываю в воздух и...

— И что?! — пискнула испуганная Нюня.

— И все, — сурово шмыгнула носом Тяпа. — Сомневаюсь, что эта встреча пройдет в теплой, дружественной обстановке и увенчается взаимовыгодными договоренностями. Скорее всего, кому-то просто свернут шею.

— За что?! — взвизгнула Нюня (не спросив «Кому?!», что было само по себе показательно).

— А я почем знаю? — хладнокровно ответила Тяпа. — Это Райку неплохо было бы спросить, во что она вляпалась на этот раз. А во что-то она вляпалась, это точно. Такие мурлы, как этот, с очками на загривке, просто так по этажам не бегают и справочки о добрых людях не наводят. Танюха, ты попала. Готовься к худшему.

— Вот только не надо нас запугивать! — огрызнулась я.

— Нам и так уже страшно, — проболталась простодушная Нюня.

Я спрятала подружкину записку в карман, подперла голову кулаком и задумалась. «Не вздумай съехать! — написала Райка, явно предполагая, что мне захочется покинуть «Перламутровый» досрочно. — Номер оплачен до конца недели!» Выбор аргумента наводил на определенные мысли. Лучшая подруга не велела бы оставаться на месте, если бы знала, что это грозит мне большой бедой!

— Возможно, Красавчик и Чудовище не так страшны, как мы думаем! — слабо обрадовалась Нюня.

— Или же это Райка о них вовсе не думала, — трезво рассудила Тяпа. — Возможно, она просто не предвидела появления Красавчика и Чудовища. Не учитывала самой такой вероятности! Но это все из области зыбких предположений. Совершенно ясно одно... Нет, два. Первое: Раиса хотела, чтобы Танюха до конца недели жила в номере 1567. Второе: Раиса знала или предполагала, что сама она там больше не появится.

— И что у нее не будет иной возможности проинструктировать Танюшу, кроме как в письменной форме — вот этим самым посланием! — подхватила Нюня. — Ой, девочки, не нравится мне все это... Такое впечатление, будто Раечка оставила распоряжение на случай своей смерти. Хотя, конечно, для последнего «прости» письмо уж слишком короткое и сухое...

— Ну, мы же знаем Райку! — хмыкнула Тяпа. — Слезливых прощальных писем она не писала никогда и никому, даже возлюбленным бойфрендам в финале бурных романов. Вспомните, какая лав стори была у нее с Димкой Кошелевым на пятом курсе, чуть до свадьбы дело не дошло, а попрощалась с ним Райка циничной эсэмэской: «Все, Димон, конец фильма!»

— Да, мы знаем Райку, — согласилась я, поднимаясь с лавочки и в задумчивости шагая по дорожке к бассейну. — Вернее, мы ее знали...

— Ах, как больно говорить об этом в прошедшем времени! — сокрушенно вздохнула чувствительная Нюня. — Как хотелось бы вновь увидеть ее живой и полной сил, красивой, веселой! Увидеть, услышать, обнять...

— Встряхнуть как следует и спросить: «Райка, черт тебя дери! Что за триллер ты закрутила на этот раз?!» — прорычала Тяпа.

Я вздрогнула, очнулась и заметила перед собой самшитовую изгородь, а поверх нее — крупную сетку ограды водного комплекса. Сквозь ячейки видны были террасы с аккуратными рядами пластмассовых лежаков и парусиновых шезлонгов, бассейны с ядовито-голубой водой, причудливо змеящиеся катальные горки, затененные пестрыми зонтами столики кафе, и всюду — беззаботные люди, наслаждающиеся более или менее активным отдыхом. Плавательный бассейн, в котором поутру нашли мертвое тело моей подруги, сейчас был полон живых и здоровых тел. Над вспененной десятками рук и ног лазурной водой звенели радостные крики и беззаботный смех. Похоже, о ночной трагедии уже забыли все, кроме меня.

Не знаю, как долго я стояла, со скорбью и печалью глядя на этот праздник жизни. Чужое веселье казалось мне кощунственным, как дискотека на погосте, а вид бассейна вызывал содрогание. Со стесненным сердцем я наблюдала за отдыхающими, борясь с неразумным желанием разреветься и молотить по сетке кулаками, пока они не разобьются в кровь.

Потом мое напряженное плечо ощутило легкое прикосновение, и ломкий юношеский голос застенчиво произнес:

— Извините, пожалуйста...

— Извинить?!

Почувствовав, что меня кто-то трогает, и мгновенно вспомнив про Красавчика с его Чудовищем, я повернулась так резко, что глубоко ввинтила каблуки в зеленый газон и чуть не упала.

— Извините, я не хотел вас напугать! — Юноша и сам заметно струхнул. — Но я зову, зову, а вы не слышите...

— Вы кто? Вам чего? — лопотала я, исподлобья глядя на молодого человека с лопатой, лезвие которой было испачкано бурой землей.

Благодаря ей тощенький — явно недокормленный — юноша с лихорадочно блестящими глазами смотрелся типичным могильщиком капитализма. Я не считала себя причастной к классу кровопийц-эксплуататоров и могла бы его не опасаться, но парнишка слишком настойчиво протягивал ко мне свободную от лопаты руку.

— Чего он хочет, я не пойму? Надеюсь, не подаяния? — заволновалась экономная Нюня.

— Наоборот, — успокоила ее Тяпа.

Она первой разглядела в ладони юного могильщика капитализма что-то светлое и блестящее — какую-то маленькую штучку.

— Возьмите, — настойчиво совал ее мне юноша.

Это была короткая, не длиннее трех сантиметров, серебряная цепочка. Один ее конец крепился к металлическому крючку, на другом болтался алый с черными подпалинами коралл, похожий на подгнивший красный перчик.

Несмотря на приступ тупости, приключившийся у меня по причине внезапного испуга, я безошибочно опознала в безделушке женскую серьгу. Вещица была оригинальной, но не выглядела дорогой и не поражала тонкостью работы. Таким побрякушкам на восточном базаре цена пять дирхам за килограмм.

— Чистый примитив, — оценила ерундовинку Тяпа, не зная, что еще сказать.

За подарок одинокая сережка сойти не могла, и было непонятно, с какой стати незнакомый лопоухий пролетарий решил преподнести мне это распарованное украшение. У меня и ушей вдвое больше, и цвет волос не тот, чтобы носить кораллы. Они к лицу брюнеткам, а мои пегие локоны рядом с насыщенным красным покажутся совсем блеклыми. В общем, украшение меня не очаровало.

— Это не мое, — равнодушно сообщила я странному юноше.

— Да, это вашей подруги, — согласился он.

Безразличие с меня как ветром сдуло!

— Моей подруги?!

— Угу, — паренек кивнул и посмотрел на меня с большим сочувствием. — Ведь та девушка, которая утонула в бассейне, была вашей подругой? Я слышал ваш разговор с охраной, как раз неподалеку стоял.

Тут только я вспомнила, что видела этого самого худосочного труженика граблей и лопаты в группе березок, украшающих лужайку вблизи вышки для прыжков в воду.

— Это сережка вашей подруги, — повторил он

с уверенностью, которой я не испытывала. — Ее водоворотом затянуло в слив. Видите, какое тут крепление неудобное, без всякой застежки, обыкновенный гладкий крючок? Потерять легче легкого.

— А где пара? — я с гораздо большим, чем прежде, вниманием рассматривала одиночное украшение.

— Вторая серьга у девушки в ухе осталась. А эту я нашел, когда фильтры чистил, — видя мой интерес, оживился добрый мальчик. — Я подумал, что вам будет приятно ее получить. На память о подруге!

— Спасибо вам огромное! — я не сдержала чувств и наградила славного парнишку сочным поцелуем в пушистую щечку. — Вы просто не представляете, как меня порадовали! Клянусь, это самый лучший подарок в моей жизни!

— Ну, я рад, — юноша засмущался, покраснел и потупился.

— Дай вам бог здоровья, добрый вы человек! — меня подхватила и понесла волна ликования. — Счастья вам, удачи и успехов в труде! Победы над классовыми врагами! Торжества коммунизма!

— С ума-то не сходи! — одернула меня Нюня.

— Всего вам самого доброго! — не унималась я. — Ныне, и присно, и во веки веков, аминь!

— И вам того же.

Встревоженный моим энтузиазмом юноша бочком-бочком отодвинулся за зеленую изгородь.

— Девки! — восторженно взвизгнула Тяпа. — Айда в бар, напьемся на радостях! Господи, счастье-то какое!

— Да какое?! Какое тебе счастье, дура?! — обычно безупречно вежливая Нюня не выдержала и сорвалась на грубость.

— Сама ты дура! — радостно отгавкалась Тяпа. — Соображать надо, а не кукситься, не слыша добрых вестей! Мальчик что сказал? Что вторая сережка осталась у утопленницы в ухе. А Райка-то наша, прошу всех вспомнить, сережек вовсе не носила!

— У нее и уши не проколотые! — наконец-то дошло до Нюни. — Гос-с-споди! Так это что значит? Что в бассейне утонула не Райка?! А как же черные волосы и силиконовый бюст?

— Да мало ли на свете силиконовых бюстов!

Безудержно улыбаясь, я пожала плечами, огляделась и решительно направилась в бар отеля, издали высматривая уже знакомую бутылку с чудодейственным желтым пойлом.

Организм, переживший эмоциональную встряску, требовал незамедлительного приема мощного балансирующего средства.

Бармен меня узнал и спросил, как постоянного клиента:

— Вам как вчера — текилу? Соточку чистой?

— Итак, она звалась текилой! — мгновенно усвоила новое знание шустрая Тяпа.

Я величественно кивнула, про себя подивившись тому, как быстро мне удалось избавиться от имиджа неискушенной простушки, столь милого сердцу моей Нюни.

— Шикарная дама! — похвалила меня Тяпа, когда я ловко поймала стакан, шайбой подкативший ко мне по полированной барной стойке.

— Чего хорошего — нализываться средь бела дня? — недовольно заворчала Нюня.

— Неважно, когда нализываться! — с аплобом ответила ей Тяпа. — Важно, как! Мы это будем делать красиво.

Красиво нализываться я пошла на полосатый диванчик вблизи декоративного фонтанчика. Его монотонное журчание меня не раздражало: теперь, когда я могла надеяться, что утонула не Раиса, а совсем другая полногрудая брюнетка, мое отношение к водной стихии во всех ее проявлениях вновь стало ровным.

Прихлебывая желтую огненную воду, я рассматривала сережку утопленницы и постепенно проникалась уверенностью, что нечто в этом роде я уже где-то видела. Не на Раисе, боже сохрани! На ком-то другом. Но в тот момент это знание не показалось мне важным и не помешало проведению экспресс-курса реабилитационного нализывания.

Допив напиток мексиканских богов, я почувствовала прилив сил. Он подкрепил высокий всплеск моего настроения и полностью растворил недавние страхи. Мысль безотлагательно расспросить дежурную и горничную о том, каким образом к ним попало Райкино письмо, показалась мне дельной и перспективной.

Я оставила пустой стакан на бортике декоративного фонтанчика и пошла к лифту.

На мой взгляд, лифты в «Перламутровом» — единственное, что вполне соответствовало категории «три звезды». Я бы им даже больше звезд дала, хоть целую галактику: для меня каждая поездка в скоростном лифте подобна полету в космос — с головокружением на старте, невесомостью в полете и черным выпадением зрения при резком торможении. Увы, должна признаться: у меня слабый вестибулярный аппарат! Именно поэтому, зайдя в лифт, я крепко хватаюсь за поручень и закрываю глаза. Обычно эта тактика себя оправдывает, и грамотно организованное лифтовое катание не наносит ущерба моему здоровью, но на сей раз я зажмурилась совершенно напрасно. В сложившейся ситуации имело смысл внимательно следить за подступами к кабине и осмотрительно выбирать попутчиков.

Вместе со мной в лифт вошли женщина и двое мужчин. Поскольку это были не те двое, которые интересовались шестьдесят седьмым номером, я не обратила на них внимания, придавила кнопку своего этажа и привычно закрыла глаза. А на женщину я и вовсе не посмотрела. У меня нормальная ориентация, на особей одного со мной пола я не заглядываюсь.

— Ну, привет! — произнес приятный мужской голос.

Не предполагая, что приветствие адресовано мне, я продолжала сосредоточенно жмуриться.

— Это она? — спросил другой мужской голос, отнюдь не приятный, вкрадчиво-тихий, с легкой шепелявостью, отдающей в змеиное шипение.

— Она самая, — подтвердил женский голос.

«Она» — это могло быть сказано только обо мне.

— Танька, ахтунг! — почуяв неладное, изнутри подтолкнула меня бдительная Тяпа.

Я открыла глаза и увидела в углу кабины вульгарную путану Катю, а напротив смазливого стройного парня в белоснежной рубахе, расстегнутой почти до пояса тугих бледно-голубых джинсов. Распахнутый ворот и высоко закатанные рукава открывали гладкую загорелую грудь и мускулистые руки. Его я тоже где-то видела... Лицо у парня было скуластое, волосы светлые, задорно взлохмаченные, а глаза зеленые, как нефрит, — я увидела это, когда он поднял на лоб солнечные очки и повторил, вне всякого сомнения обращаясь ко мне:

— Ну, привет, детка!

По преувеличенно ласковым интонациям я узнала ночного мотылька Андрюшу, но не сочла вчерашнюю короткую встречу поводом для продолжения знакомства. Как девушка гордая, свободолюбивая, не чуждая идей феминизма, я считаю, что «деткой» меня вправе называть только папа с мамой и бабушка с дедушкой. Зеленоглазый молодец определенно не годился мне ни в отцы, ни в деды, да и в жесте, которым он меня приобнял, родительской нежности не наблюдалось. Поэтому я не стала церемониться, стряхнула со своего плеча загорелую лапу и сказала:

— Молодой человек, вы обознались!

Голос мой был холоден и сух, как нутро морозильной камеры.

— Дзинь! — в продолжение темы низкотемпературных звуков льдинкой звякнул лифт.

Я взглянула на табло, с облегчением увидела цифры моего этажа и, едва двери разъехались, выскочила из кабины, не обращая внимания на ропот неприятно компанейских попутчиков.

Но в холле тоже нашлись люди, жаждущие моего общества!

— Это она! — некультурно ткнув в мою сторону толстым пальцем, громко сказала тетя Груша-дежурная.

Как по команде, из ближайшего кресла, точно

злой цепной пес из будки, выскочил громила, ряженный бизнесменом. Лица его я до сих пор не наблюдала, но оно не сильно отличалось от щетинистого затылка, да и общие очертания пугающе крупной фигуры врезались в мою память, как «Титаник» в мирный айсберг. Это был тот самый банкир-молотобоец, которому я успела дать прозвище Чудовище!

Пригнув низколобую башку, монстр шел на меня, как Кинг-Конг на штурм нью-йоркской высотки. Не дожидаясь рокового столкновения, я прыгнула назад, продралась сквозь закрывающиеся двери лифта и упала в объятия зеленоглазого.

— Ну, так-то лучше, — самодовольно молвил он, игриво пощекотав меня за ухом.

— Не распускайте руки! — негодующе потребовала я.

— Не буду, — со смешком пообещал он.

И действительно подобрал свои грабли, притиснув меня к себе так крепко, что Нюня задохнулась и упала без чувств.

— Отпустите! — отчаянно брыкаясь, возмутились мы с Тяпой.

— Гля, какая! Темпераментная штучка! — насмешливо просипел второй мужик.

У него не только голос, но и внешность была змеиная. Весь из себя юркий и прилизанный, этот тип идеально подошел бы на роль пресмыкающегося искусителя в малобюджетной театрализованной постановке по мотивам библейских историй. Змей из него даже без грима и костюма получился бы убедительный, разве что небольшой — ростом дядя не вышел.

— А поговорить? — склонив приплюснутую головку к узкому плечику, спросил он.

Я мазнула взглядом по табло — там как раз потухли цифры 1 и 6, загорелось 17. Кабина поднималась вверх. В отеле восемнадцать этажей, значит, мои разговорчивые попутчики едут на последний. Там приватные апартаменты, никаких тебе дежурных по этажу, полная конфиденциальность — прекрасные условия для продолжения принудительной беседы по принципу «трое на одного»!

— Не хочу я с ними разговаривать! — всеми фибрами своей нежной души ощущая исходящую от Змея угрозу, возопила Нюня.

— На старт, внимание, марш! — решительно скомандовала Тяпа.

Я перестала трепыхаться и приподняла правую ногу. Лифт сигнализировал о прибытии на конечную мелодичным звоночком. Едва двери открылись, я безжалостно вонзила испачканный землей каблук в дырочку на штиблете зеленоглазого и, когда он взвыл и отпустил меня, чтобы схватиться за раненую ногу, пулей вылетела из кабины.

— Держи ее! — коброй взвился Небольшой Змей.

Совсем как в моих недавних пугающих фантазиях! Вот только никакой газетки, чтобы спрятаться за ней от погони, у меня на сей раз не было. А сама погоня была, да еще какая! Правда, преследователи дали мне небольшую фору, вернее, я сама обеспечила ее себе, травмировав зеленоглазого приставалу. Держась за больную ногу и подпрыгивая на здоровой, он помешал быстрому старту Змея, и эта заминка подарила мне несколько секунд. Первую из них я неразумно потратила на вызов второго лифта, но живо сообразила, что дождаться его прибытия не успею, и решила уходить на своих двоих. Спасение убегающих — дело ног самих убегающих!

Интерьерчик на ВИП-уровне был поинтереснее, чем на других этажах, — кажется, в восточном стиле. Я успела заметить темные ковры, заваленные подушками диваны и стрельчатые проемы, красиво задрапированные многослойными портьерами. За водопадом складок коридор просматривался плохо.

— Кому плохо, а кому и хорошо! — порадовалась Тяпа.

Предвидя, что мои преследователи разбегутся в разные стороны коридора, я поступила иначе и нырнула за дверь, ведущую на лестницу. Пробегусь вниз по ступенечкам, не рассыплюсь!

Но кое-кто уже бежал мне навстречу вверх! Размеренное сопение я услышала раньше, чем увидела перепрыгивающего через две ступеньки Кинг-Конга, но сразу же поняла, что этот путь к отступлению отрезан. Ясно же было, что это не один из ВИП-постояльцев возвращается пешим ходом в свои хоромы на осьмнадцатом этаже! Тем более шуму одинокий путник производил не меньше, чем допотопный паровоз братьев Черепановых с полудюжиной груженых вагонов.

Я крутнулась на одной ножке и помчалась наверх.

Небольшой Змей оказался проворным, он успел добежать до конца коридора и уже возвращался. Я выскочила на этаж в каких-то пяти метрах впереди него и сразу же заложила крутой поворот, целясь в открытые двери лифта.

— Эй, ты, стой! — гаркнул хромоногий (жаль, что не слепой!) Андрюша.

Он, оказывается, и вовсе никуда не бегал, оставался в холле — искал меня в груде мягкой рухляди на диване, идиот!

— Пошел ты! — огрызнулась я.

Двери лифта не вовремя вздумали закрываться. Я с ходу вбила между ними кулак и удержала кабину от дезертирства. Ввалившись внутрь, я локтем врезала по кнопке закрывания дверей, присела, пропуская над собой брошенную в меня подушку, тут же цапнула ее за колючий от густо нашитого стекляруса угол, метко запустила в подбежавшего Змея и попала ему в лицо! Услышав приглушенный вопль и матерную ругань, с двух сторон нажала на двери, торопя их сомкнуться, и наконец осталась одна в замкнутом пространстве передвижной кибитки.

Мое отражение в зеркале на стене тяжело дышало и пучило глаза, как глубоководная рыба.

— Не помню, чтобы меня когда-нибудь так радовало пребывание в тесном помещении! — доверительно призналась я ему. — Отличный способ излечиться от клаустрофобии!

— А куда мы едем? — с подозрением спросила Тяпа.

— А никуда! — сообразила Нюня. — Танюша, ты этаж не нажала!

Двери вздрогнули и пошли в стороны.

— Эй, вы, стойте! — закричал увечный Андрюша, пытаясь встать с разворошенного дивана.

— На «вы» — это не тебе, — успокоила меня Тяпа.

Я ловко отбила вторую подушку, отважно высунулась из кабины, увидела на табло соседнего лифта 17, 16, 15, втянулась обратно, закрыла двери перед носом кособоко прискакавшего зеленоглазого и поехала на семнадцатый этаж. Там вышла, коварно отправила кабину в лобби, на глазах у равнодушной дежурной свернула на лестницу и со скоростью, которой не смог развить на подъеме даже могучий Кинг-Конг, взбежала наверх. Но не на восемнадцатый этаж, а еще выше — на крышу!

Плоская крыша «Перламутрового» была местной достопримечательностью, отнюдь не открытой для показа широкой публике. Пару дней назад я имела эксклюзивную возможность посетить ее благодаря Райке, которая в честолюбивом порыве охватить своим вниманием всех до единого участников финансового саммита немного перестаралась и зацепила парня из охраны премьер-министра. Бравый капитан показал моей подружке все, что мог, включая некоторые особо охраняемые территории. Закрытые меблированные помещения они с Райкой осматривали тет-а-тет, а на крышу великодушно взяли с собой и меня. Так я узнала, что за естественным солярием, доступ в который может получить каждый, кто раскошелился на спа-программу, есть небольшой бассейн, а рядом с ним — удивительно просторная беседка, крыша которой совершенно не случайно сложена из бетонных плит, а «мраморные» колонны скрывают прочнейшие стальные трубы. С тыльной стороны беседки имеется лестница наверх, а там устроена замечательная вертолетная площадка, увидеть которую снизу невозможно.

Я очень рассчитывала на нее в качестве убежища, где можно если не отсидеться, то хотя бы отдышаться и поразмыслить над острейшим вопросом современности: что им всем от меня нужно?!

Думать на бегу я не могла, мне нужно было остановиться, собраться и призвать на военный совет Тяпу с Нюней.

— Еще чуть-чуть, — пообещала я себе, взбираясь по лестнице на крышу беседки.

Три дня назад, когда я приходила сюда с Райкой и ее телохранителем, площадка была пустой, и с нее открывался такой потрясающий вид, что мне показалось — если встать на цыпочки и вытянуть шею, то можно заглянуть не просто за горизонт, а вообще за грань реальности. Самое подходящее место для того, чтобы проникнуть мысленным взором под покров тайны!

Вот только на этот раз о глубокомысленной тишине и созерцательном одиночестве говорить не приходилось. На площадке стоял вертолет! А я так задумалась, что заметила его позже, чем те двое заметили меня.

— Что это такое? — мужчина, стоящий к вертолету спиной, увидел меня и явно не обрадовался.

На его холеном лице появилось выражение образцовой домохозяйки из рекламы чистящего средства, когда лабораторные ученые просвещают ее относительно бурной жизни не пуганных гелем микробов под крышкой унитаза.

— Не что, а кто, идиот! — вякнула обиженная Тяпа, прежде чем я успела ее отогнать.

Это она зря сказала. Конечно, если человек не

в состоянии отличить одушевленное существо от неодушевленного предмета, он точно не Спиноза, но настоящие идиоты редко имеют в своем распоряжении вертолеты и расторопных подчиненных. Мужчина щелкнул пальцами и буднично распорядился:

— Убрать!

Как будто речь действительно шла о зачистке санфаянса!

Второй мужчина, до тех пор стоявший ко мне задом, к винтокрылой избушке передом, обернулся и ослепил меня острыми бликами от солнцезащитных очков, но с места не тронулся. Я поняла, что наведением чистоты и порядка должен заняться кто-то другой, но даже не увидела этого штатного уборщика. Только почувствовала, как чьи-то твердые пальцы придавили мою шею чуть пониже уха, а потом — ничего.

Рев винта поднимающегося вертолета в моем угасающем сознании наложился на шум спускаемой в унитаз воды, и мир микробов затонул, как Атлантида.

— Ме-е-е! Ме-е-е! — приглушенно голосил козленочек, уткнув короткие тупые рожки в мягкое место Левы.

Отшвырнуть назойливую животину прочь Лева никак не мог. Во-первых, он крепко спал. Во-вторых, ему снилось, что приставучий козленочек доводится ему родным братцем. Во сне Лева стал сестрицей Аленушкой со всеми вытекающими последствиями.

Аленушка из Левы получилась очень даже неплохая. И не только потому, что он честно и добросовестно исполнял свои сестринские обязанности по отношению к рогатому братцу — кормил его, поил и укладывал спать на эмалированном противне, заботливо подтыкая под мохнатое тельце углы красного, в белый горох, вискозного парео. Лева-Аленушка оказался весьма симпатичной девахой. Зеркала, чтобы полноразмерно оценить свою девичью красоту, у него во сне не было, но вид на собственное декольте, обрамленное смоляными косами, Леве очень и очень нравился.

— Ме-е-е-е!

Козленочек заверещал и потерся о лицо спящего своим шерстистым боком.

— Зажарю и съем! — пробормотал Лева, во сне превращаясь из доброй сестрицы Аленушки в злую Бабу-ягу.

Из-за налипшей шерсти физиономия страшно чесалась. Лева-яга хмуро выругался и прошелся ладонью по лицу, стирая шерстинки и остатки сказочного сна.

В прихожей натужно взвизгивал звонок. На спинке кресла, нервно дергая пушистым хвостом, топтался Буба. В самом кресле очень неуютно помещался Лева. Проснувшись, он приветственно обругал кота, мучительно изогнулся и вытащил из-под себя пару древних, еще бабулиных, медицинских банок. Во сне они вполне убедительно изображали козлиные рожки, а в реальности наверняка оставили на Левином заду пару синяков.

— Что за хрень? — глядя на банки, Лева наморщил лоб, а потом охнул и подпрыгнул, при приземлении найдя под собой еще один медицинский артефакт: он вспомнил.

Банки Лева отыскал на антресолях, в одной коробке с пакетиками, воняющими старым сеном, и резиновыми грушами, аккуратно уложенными по размеру. Воспоминания о том, как этими самыми банками пользоваться, у него были довольно смутные, да и сама связь аптечной стеклотары с простудными заболеваниями представлялась Леве полумистической. Но никаких других средств для борьбы с острыми респираторными заболеваниями в доме не оказалось, а Машеньку надо было спасать. Лева чувствовал, что таков его прямой хозяйский долг.

Милая гостья, бесцеремонно завалившаяся в его кровать, прохрапела до самого вечера. Надеясь широким гостеприимством заслужить адекватное вознаграждение, Лева не беспокоил спящую красавицу до тех пор, пока ему самому не захотелось лечь в постель уже хотя бы для того, чтобы просто поспать. Он попытался аккуратно подвинуть разметавшуюся в кровати красавицу и в процессе выяснил, что она горяча как печка — увы, не в переносном смысле, а в самом прямом. У Машеньки был сильный жар, и она не храпела, а хрипела. Вскоре высокую грудь красавицы начал сотрясать мучительный кашель.

Разбудить девушку, чтобы напоить ее горячим молоком из провиантских запасов Убытка, не удалось. Холодный компресс, который Лева возложил ей на лоб, Машенька в беспамятстве стряхнула таким широким взмахом руки, что мокрая тряпка улетела в другой угол комнаты и шлепнулась прямо на Бубу. Кот до того только встревоженно мявкал, а теперь начал орать, высказывая хозяину все накопившиеся у него претензии: от неправедно экспроприированного молока до несанкционированного влажного обертывания. После этого подбираться к активной больной с горчичниками и банками доктор Лева даже не пытался. Он вызвал «Скорую» и в ожидании легендарно неторопливого медподразделения забылся в кресле.

Звонок прервал его беспокойный сон в третьем часу ночи.

— Ну, наконец-то! — с радостным укором вскричал Лева, широко распахивая входную дверь.

— Здравствуй, здравствуй, милый Левушка! — растроганно пробасил дядя Петя из Сыктывкара, распахивая медвежьи объятия и выражая готовность принять племянника на грудь, обтянутую толстым свитером домашней вязки.

— Дьясте, дьясте, дядь Лева! — загомонили дяди-Петины отпрыски, весело подпрыгивая на чемоданах.

— Здрасьте... — предательски упавшим голосом отозвался Королев, пятясь в глубь прихожей под натиском могучего бюста дядиной супруги.

— Левка! Ой, шельмец! — радостно вскрикивала она, протягивая пухлые ручки к Левиной шее. — Еще больше вырос! Похорошел! Дай я тебя расцелую!

— Но-но, вы это полегче! — добродушно ворчал дядя Петя, затаскивая в дом чемоданы, размером и весом похожие на несгораемые шкафы. — Я ревную!

Дяди-Петины потомки, прошмыгнув под Левиным локтем, мгновенно рассредоточились по дому. Из комнаты раздался сначала дикий мяв придавленного Бубы, а потом еще более дикий вопль дяди-Петиного младшенького:

— Мам, а где мы спать будем, тут уже какая-то тетя лежит!

— Лева! — тетя Аня опустила руки, раздумав обниматься. — Какая тетя? Ты же знаешь, что в это время года к тебе всегда приезжает дядя! Мы, как обычно, рассчитывали...

— Анюта, спокойно! Знаем мы этих спящих теть! — Дядя Петя поставил на ногу Леве чемодан и туго обнял племянника освободившейся рукой. — Дело молодое, да, Левчик?

— Мам, а тетя никак не просыпается! — проорал из комнаты деятельный ребенок. — Она мертвая, что ли?

— Лева? — дядя Петя вопросительно взглянул на племянника.

— Тетя не мертвая, она больная, — со вздохом объяснил он.

— Санька, Ванька, Танька, живо отошли от больной тети! Не ровен час сами заразитесь! — крикнула тетя Аня.

— Почему больная, зачем больная? — загудел дядя Петя, бесцеремонно внедряясь в комнату. — А вот мы сейчас больную поправим, у нас и лекарство есть! Отличное лекарство, от всех болезней помогает — «кедрач» называется, чистый спирт на кедровых орешках, мертвого поднимет!

— Лева! — тетя Аня ухватила племянника для воспитательной беседы. — Ты знал, что к тебе приедет твой дядя с семьей, и приютил у себя какую-то больную тетю? Как это безответственно, Лева!

— Когда я ее приютил, она была еще здоровая! — Лева вывернулся из цепких ручек дяди-Петиной половины. — А потом она заболела, и я вызвал «Скорую»...

— «Скорую» вызывали? — браво гаркнул с порога коренастый дядька в спецкомбинезоне.

— Санька, Ванька, Танька, уйдите на кухню, дядя доктор приехал, сейчас больную тетю на «Скорой» увезут, и постель для вас освободится! — громко обрадовалась тетя Аня.

— Увезем, — потвердил дядя доктор, осмотрев больную. — У девушки обструктивный бронхит, подозрение на пневмонию. Одевайте больную, я за носилками. Кто сопровождать будет, паспорт и медицинский полис не забудьте.

— Лева, не стой столбом, где ее одежда? — затормошила племянника тетя Аня.

— Одежда? — Лева почесал в затылке.

Из одежды на милой гостье в чудное мгновение ее появления был один мухомористый платок на бедрах. Отправлять ее в таком виде в больницу представлялось неправильным.

— Вот. Годится? — Лева вынул из шкафа спортивный костюм и футболку.

Костюм был его собственный, слегка поношенный, а майка совсем новая, полученная в подарок на презентации торгового центра. На выдающемся бюсте Машеньки слово «Мега» смотрелось поразительно уместно. А вот никакой обуви тридцать седьмого размера у Левы не нашлось, поэтому пришлось ограничиться толстыми шерстяными носками.

Самую большую сложность представляли затребованные дядей доктором документы, но тут Леву здорово выручила тетя Аня. Уяснив, что без паспорта и медицинского страхового свидетельства «Скорая помощь» больную тетю не возьмет, дяди-Петина супруга, кровно заинтересованная в умножении числа спальных мест, великодушно снабдила пациентку собственными документами.

— Но вы не слишком похожи! — неуверенно возразил Лева.

— Лева, верь мне: на фото в паспорте медики не смотрят никогда! — убедительно сказал дядя Петя. — А что до разницы в возрасте...

— Мне всего тридцать пять! — привычно соврала тетя Аня.

— То эту разницу легко можно списать на плохой внешний вид пациентки! — додумался сам Лева.

Он не ошибся. В городскую больницу хворую красавицу без возражений и расспросов приняли под именем Анны Васильевны Королевой.

— Бабуля, а это что за мумия? — с детской непосредственностью поинтересовалась Машка.

— Мария, тише! — шикнула на внучку Ольга Павловна, едва не поперхнувшись омлетом. — Она может услышать!

— А она может слышать? — не поверила Машка.

Тело в белой обмотке, как и положено мумии, лежало неподвижно, только не в саркофаге, а на клеенчатой кушетке. Определить, кто там, в белом коконе, на глаз было невозможно, и местоимением «она» Машка обозначила невнятную фигуру только потому, что слово «мумия» — женского рода. Есть еще, правда, Мумий Тролль, но это уже другой персонаж, не из древнеегипетской, а новейшей музыкальной истории.

— Очнется — сможет, — пообещала Ольга Павловна.

— А она очнется? — усомнилась Машка.

Она положила недоеденную булочку, развернулась на стуле и, болтая ногами, во все глаза уставилась на мумию. Ольга Павловна укоризненно посмотрела на не в меру любопытную внучку, вздохнула, но ничего не сказала. Воспитанием Марии она лично не занималась, и это сразу чувствовалось. Если бы девочку воспитывала интеллигентная бабушка, врач-терапевт с сорокалетним стажем, а не легкомысленная мамаша и вечно занятой отец, в тринадцать лет она бы вела себя по-другому — как чинная барышня, а не как малолетний ирокез.

— Неправильная какая-то мумия! — насмотревшись вдоволь, постановила невоспитанная Машка. — По-моему, с нее каплет. И пахнет как-то не очень... Она, случайно, не описалась?

— Вот это вряд ли, — Ольга Павловна тонко усмехнулась. — У нее обезвоживание. Каплет с бинтов, они пропитаны специальным раствором, а пахнет лекарством... Маш, ты бы съела еще булочку!

— Надоели мне ваши пресные булочки! — скорчила рожу Машка. — Хочу гамбургеров и хот-догов с кетчупом и горчицей!

— Машенька, это же все очень вредное! — Ольга Павловна покачала головой и придвинула к внучке тарелку с овсянкой. — Не хочешь булочку — скушай кашку или творожок.

— Ба, а на этом вашем шведском столе бывает что-нибудь, кроме омлета, творожка, кашки и булочек? — Машка с тоской оглядела столик, заставленный тарелочками с логотипом отеля. — Мне обещали богатое и разнообразное меню.

— Поверь мне, Мария: из того, что подается к

этому богатому и разнообразному шведскому столу, яйца, кашка, творожок и хлебушек — самая нормальная и безопасная еда, — внушительно ответила Ольга Павловна, с достоинством принимаясь за овсянку. — Если бы ты знала, до какой степени безотходно пищевое производство в нашем отеле, то даже пробовать не стала бы салаты, пиццу, запеканки и половину вторых блюд! Думаешь, почему у большинства моих пациентов проблемы с желудком?

— И у нее тоже? — Машка снова засмотрелась на эффектную мумию.

— У нее самая большая проблема с головой, — сказала докторша, на всякий случай понизив голос. — Попросту говоря, она дура. Богатая дура!

— Звучит заманчиво, — заметила наглая Машка. — Хотя если посмотреть... Что с ней случилось-то, ба?

— Эта милая молодая дама...

— Да ладно? — пробормотала Машка, пялясь на мокрые бинты.

— Эта богатая идиотка вчера днем, в самое пекло, пошла загорать в солярий на крыше, — с удовольствием прихлебывая чай, поведала Ольга Павловна. — Раскинулась на лежаке топлес, в одних тонюсеньких стрингах и темных очках, можешь себе представить?

— Красота! — мечтательно обронила Машка, откидываясь на стуле и забрасывая руки за голову.

— Да уж, красота неописуемая, — ехидно поддакнула докторша. — Забыла сказать: мадам была нетрезва, на солнышке ее разморило, и уснула наша красавица на лежаке крепким сном, переходящим в горячечный бред. Уборщица ее вечером нашла, охранника позвала, тот администраторше сообщил, а она меня вызвала. А я что могу сделать? Ну, температуру сбила, теперь с ожогами борюсь. По-хорошему, девку бы в больницу отвезти, но это будет плохая реклама нашему отелю.

— Ничего, ба, ты справишься! — Машка похлопала бабушку по плечу и вскочила со стула. — Я в бассейн!

— Обедать приходи! — крикнула Ольга Павловна вслед убегающей внучке. — Ох, Мария, Мария...

Она поднялась, собрала со стола судочки и аккуратно составила их в холодильник. Потом посмотрела на тарелку с булочками, подумала, снова села и налила себе еще чайку. Мумия на кушетке лежала тихо-тихо, завтрак в отеле только начался, и до времени, когда по востребованному маршруту «шведский стол — медпункт» вереницей потянутся новые пациенты с расстройством желудка, можно было успеть со вкусом почаевничать.

Сквозь кисельно-вязкий и мутный сон я все слышала, только не понимала, что говорят обо мне, пока не очнулась полностью — в зловонной темноте и гадкой сырости.

— Как микроб под крышкой унитаза! — зло съязвила Тяпа.

— Мы не умерли? — испугалась Нюня, отнюдь не обрадованная перспективой столь непрезентабельного нового воплощения.

— Тихо! — попросила я и прислушалась к своим ощущениям.

Кожа зудела, голова гудела, во рту чувствовался противный привкус, но руки-ноги вроде слушались. Я стянула с физиономии влажную марлю, повернула голову и увидела белую, как экран, шторку, а на ней — темный силуэт. Некто стоял по ту сторону занавески, двумя руками держась за голову.

— Еще один пациент, — логично рассудила Нюня.

— Сейчас, Геночка, сейчас! — успокаивающе приговаривал в некотором отдалении уже знакомый голос докторши.

Звякнуло стекло, брякнул металл, прошелестели шаги. В моем личном театре теней стало одним персонажем больше — докторша подошла к больному:

— Повернитесь к свету.

— А это не больно? — опасливо спросил мужчина.

— Совсем не больно, — неискренним тоном, которым в подобный момент разговаривают все эскулапы, сказала докторша. — Уберите руки. Вот так!

— Ой! — пациент вскрикнул и зашипел от боли.

А я испуганно ахнула и тут же зажала себе рот. По тени на занавеске определиться было трудно, но это гадючье шипение я узнала! Вне всякого сомнения, новым пациентом доброй докторши был змеевидный приятель ласкового хлопчика Андрюши.

— Кто это вас так? — под затихающее шипение сочувственно спросила Ольга Павловна.

— Одна дура подушкой двинула, — неохотно объяснил Змей.

— Подушкой?! Геночка! — в голосе докторши удивление смешалось с укоризной. — Я думала, вы уже ушли из большого секса!

— Он у нас играющий тренер! — со смешком произнес приятный мужской голос.

— О, и Андрюша тут! — узнала его Нюня.

— Прикройся, Танька, снова ветошкой! — посоветовала Тяпа.

Я послушно налепила на лицо вонючую марлечку и по причине мгновенного ухудшения видимости вынужденно обратилась в слух.

— Тренер сборной инвалидов! — сердито пробурчал Геночка. — Ольга Пална, посмотрите Андрюшкину ногу. Андрюш, разуйся.

— Ого! — уважительно крякнула докторша. — Вот это гематома! Что это было? Вы зубило на ногу уронили?

— Я не работаю с железом! — обиделся Андрюша. — Садо-мазо — не мой профиль!

— Это его одна дура каблуком двинула, — объяснил Гена.

— Молодец, Танька! — тихонько похвалила Тяпа.

— Опасная у вас работа, мальчики и девочки, — без тени юмора заметила Ольга Павловна. — То и дело случаются телесные повреждения! Поутру Катенька ваша прибегала ссадину на скуле прижигать. Вчера Людочка с растяжением приходила. Позавчера новенькая была — вся изодранная, точно с кошкой сцепилась.

— Я ж плачу вам за эту работу, Ольга Пална! — недобрым змеиным голосом напомнил Геночка. — Вроде нормально плачу, считай — еще ползарплаты к вашей штатной навешиваю!

— Я это, Гена, не к тому, что вы мне мало платите, — сухо сказала докторша. — Я к тому, что девочки ваши о своем здоровье совсем не думают. Вот новенькая ваша — она, дурочка, ни йодом, ни зеленкой мазаться не захотела, чтобы товарный вид не портить, согласилась только перекисью царапины обработать. А ей бы, по-хорошему, при таких повреждениях прививочка от столбняка не помешала! Как она, Гена? Вы скажите ей, пусть зайдет ко мне, я ее посмотрю.

— Это какая новенькая? — вмешался Андрюша. — Не черненькая? Аллочка?

— Заткнись! — грубо шикнул на него Гена.

— Черненькая, черненькая, — невозмутимо подтвердила докторша. — Красотка такая, хоть прямиком в индийское кино!

— Она у нас больше не работает, — сказал Гена и заторопился: — Андрюшка, ты чего расселся? Ноги в руки — и вперед, к бассейну! Сейчас туда тетки из спа-салона повыползают, у тебя работы будет непочатый край.

— Он же хромает! — благородно вступилась за своего пациента Ольга Павловна.

— Хочу на больничный! — дурашливо заявил Андрюша.

— «Хочу» — это не твое слово, милый, твои слова — «могу и буду»! — язвительно прошипел гадкий Гена. — Хромай к станку, инвалид! У народа такой сексуальный голод — на любое извращение спрос есть: и на калек, и на садо-мазо, и на лесбиянок...

Я услышала шум шагов, скрип половиц и стук двери. Очевидно, ночной мотылек Андрюша и его безжалостный эксплуататор-сутенер ушли. Я снова стащила с лица тряпку и покосилась на занавеску. Ольга Павловна, представленная на экране в виде четкой тени, мелодраматично всплеснула руками и со вздохом сказала:

— С кем приходится иметь дело, боже мой!.. Хотя с другой стороны...

Докторша повертела перед глазами небольшую бумажку, деловито спрятала ее в карман и вполне умиротворенно закончила:

— Пятьсот рублей на дороге не валяются.

Тень переместилась влево и вышла за край экрана.

— Кстати, насчет «валяются — не валяются»: ты-то вставать собираешься? — ворчливо спросила Тяпа.

— Этот медпункт — не самое безопасное место, — поддержала ее Нюня. — Видишь, с кем докторша дружбу водит! А еще интеллигентная женщина...

— Надо убираться отсюда, — резюмировала Тяпа. — Танька, снимай обмотки! Отступаем на заранее подготовленные позиции.

— Это в номер, что ли? — Нюня обоснованно усомнилась в правильности выбранной тактики. — Будет ли там безопаснее?

— Другие предложения есть? — вместо ответа спросила Тяпа. — Нет? Тогда отходим в номер.

Докторша как раз удалилась. В смежном кабинете сосредоточенно звякали пузырьки. Моя одежда, сложенная аккуратной стопочкой, лежала на стуле возле кушетки, рядом стояла сумочка.

— Надо же, не утащили! — машинально удивилась Нюня.

Ей хотелось думать, будто на крыше на меня напал обыкновенный грабитель — это было спокойнее, чем маяться тревожными мыслями о том, что стараниями Райки я угодила в какую-то темную историю.

5 – 9769

— И не грабитель, и не насильник! — Тяпа предпочитала смотреть правде в глаза. — Тут что-то другое...

Стараясь не шуршать и даже не дышать, я избавилась от компрессов и ужаснулась цвету своих кожных покровов (Чингачгук при виде меня мог ослепнуть), но взяла себя в руки и не стала убиваться по поводу столь серьезного ущерба своей красоте. Сейчас надо было спасать свою шкуру, независимо от того, какого она цвета.

Мужественно подавляя стоны (любое прикосновение к обожженной коже было болезненным), я оделась, обулась, напялила темные очки и краснокожей змейкой-медянкой выскользнула за дверь медпункта.

Для одинокой утренней пробежки час был вполне подходящий: те из постояльцев, кто уже не спал, группировались за столами в ресторане. Никем не замеченная — дежурная по этажу на своем боевом посту отсутствовала, и пришлого народа на сей раз в холле не наблюдалось, — я проскочила в свой номер, заперла дверь и для пущего спокойствия забаррикадировалась тумбочкой.

Первым делом я заглянула в сумочку и убедилась, что из нее ничего не пропало. Версию об обыкновенном ограблении можно было похоронить.

Я сокрушенно вздохнула и обмахнулась ладошкой. То ли пробежка меня разогрела, то ли снова начался озноб — жарко мне стало, хоть в прорубь ныряй! Тело горело, как будто его растерли наждачной бумагой, а горло пересохло, точно коктейльная трубочка, надолго разлученная с бокалом.

— Пить хочется, — в тему пожаловалась Нюня.

— Даже не пить, а выпить! — внесла поправочку Тяпа. — Помните, что говорил дедушкин ветеринар? Если собаке плохо, а что с ней — непонятно, надо для начала дать ей столовую ложку водки.

— А для продолжения? — заинтересовалась Нюня, пропустив мимо ушей нелестную ассоциацию с собакой и сомнительное словосочетание «дедушкин ветеринар».

Тот доктор Айболит лечил не дедулю, а какую-то из его собачек — ее кличку я запамятовала, как и подробности актуальной ветеринарной рекомендации.

— Для продолжения — граммов пятьдесят, а лучше сто! — незамысловато сымпровизировала Тяпа.

В мини-баре имелся коньяк, но отсутствовали рюмки. Я была вынуждена пить из стакана, так что о том, сколько вешать в граммах, думать не пришлось. Неженка Нюня, шокированная происходящим, потребовала «хотя бы запивать», и я послушно залила коньяк ледяной минералкой. После этого жар у меня спал, но заболело горло.

— То понос, то золотуха! — грубо, но метко охарактеризовала нездоровую ситуацию Тяпа.

Симптомы золотухи (в отличие от поноса) были мне неведомы, но обожженная кожа зудела мучительно. Я возблагодарила господа нашего за то, что он сподобил меня послушаться мудрую бабушку и взять с собой аптечку — в ней было средство от ожогов в аэрозольной упаковке.

Лекарство выжималось из баллончика в виде пены — она была плотной, как поролон. Я надела шерстяную шапочку, чтобы не испачкать волосы, и покрыла себя этой штукой с головы до ног, уделив повышенное внимание фасадной части организма (тыльную без посторонней помощи обрабатывать было несподручно). Оставила ненамазанным только нос, чтобы было чем дышать, и в белой шубе из крепкой, как штукатурка, лекарственной пены присела на табуретку — допивать лечебный коньяк.

— Дура ты, Клава! — в сердцах сказала дежурная по этажу Оксана.

— А я че? Я ж ниче! — горничная Клавдия захлопала густо намазанными ресницами, и на ее рыхлые щеки посыпались крошки туши.

С тем, что она не богата умом, Клава не спорила. Про то, что она дура, Клава слышала очень много раз — и от мамы с папой, и от одноклассников в школе, и в ПТУ, где она кое-как выучилась на швею-мотористку. «Вот дура!» — в разное время говорили мужчины, за которых Клава хотела, но не смогла выйти замуж. «Ну и дура!» — сказали про нее на швейной фабрике, когда Клава уволилась, потеряв место в рабочем общежитии. Не могли же все вокруг ошибаться? Клава уверовала в то, что она дура, и перестала обижаться на ругань.

Характер у Клавы был мягкий, податливый, как и вся она, да и жизненные принципы устойчивостью не грешили — в отличие от фигуры. Фигура у Клавы была основательная. На сидячей работе за швейной машинкой она нажила такое мощное основание, что за панталонами ходила в магазин «Богатырь». Зато бедра особо крупных размеров подчеркивали наличие какой-никакой талии, и кокетливый фартучек горничной на Клаве смотрелся очень даже неплохо. Только фирменные цвета ей были совсем не к лицу: зеленое и коричневое превращали рыхлую белую физиономию в восковую маску. Именно поэтому, устроившись на работу в отель, Клава впервые после окончания ПТУ стала ярко красить глаза и губы, экономии ради используя для нанесения боевой раскраски стародавние запасы косметики — брикетированную гуталиновую тушь «Ленинградская» и жирную оранжевую помаду «Ален мак».

В макияже Клава напоминала матрешку — деревянную насквозь. Сакраментальное «баба дура» читалось на ее широком лице ясно, как будто Клава самокритично написала эти слова себе лбу маргариновой рыжей помадой.

Оксана посмотрела на мучнисто-белое, в крапинках туши, лицо новой горничной и снова нагрубила:

— Че, че! Через плечо!

Клава послушно обернулась, и Оксана простонала:

— Ну, ду-у-ура! Вот же бог послал наказание!

— А че такое-то? — невозмутимо поинтересовалась добродушная Клава. — Из постояльцев кто пожаловался, че ли? Я плохо, че ли, убираю? Или еще че?

— Ты языком много болтаешь! — рассердилась Оксана. — Зачем с милиционером лялякала, как в деревне на завалинке? Дура!

— Так он же сам со мной заговорил! — Клава простодушно округлила глаза. — Спрашивал, не видала ли я где тут молодую красивую брюнетку с во-от такой грудью.

Клава вытянула вперед руки и нарисовала в воздухе грудь, больше похожую на полный парус.

— А ты? — внимательно слушала Оксана.

— А я не видала, — Клава с сожалением пожала сдобными плечами. — Я тут еще ниче не видала, я же тока второй день работаю! Но мужик этот, следователь, показал мне сережку с красненьким камнем, а вот такую штуку я как раз видела. Тока не сережку, а браслет!

— Где ты его видела? — неприязненно сощурилась Оксана.

— А в шестьдесят пятом! Нашла в простынях, когда постель перестилала, — Клава торжествующе улыбнулась. — Браслетик — один в один с сережкой, тоже серебряный, с большим красным камнем на цепочке.

— Куда дела?

— Так следователю же показала и обратно в номер занесла, на тумбочку положила. Ты че? Мне чужого не надо! — запоздало обиделась Клава.

— Ну, молодец, — саркастически сказала дежурная. — Считай, отличилась.

— А че? — горничная снова затрясла ресницами.

— Черт-те че! — зло срифмовала Оксана. — Иди уже, умница! Восемьдесят второй освободился, прибрать надо.

Она проводила удаляющуюся Клаву сердитым взглядом и потянулась к телефону.

— Ну, чего тебе еще? — неприязненно отозвался мужчина на другом конце провода.

— Девку твою милиция спрашивала, — приглушив голос, сказала Оксана. — Ту, которая тут кораллами звенела!

— И что?

— А то, что Клавка, новая горничная, в шестьдесят пятом браслетик ее нашла! Менту его показала и на номер навела! — выпалила дежурная.

— Вот дура! — выругался ее собеседник и бросил трубку.

— Кто дура? — с подозрением спросила Оксана у размеренно гудящей телефонной трубки.

Ей очень не хотелось думать, что в этой незавидной категории горничная Клавдия не одинока.

Ошибиться может каждый, даже опытный опер. Особенно если этот опер на самом деле не столько опытный, сколько голодный как волк и уставший как собака — бегает сутки напролет, высунув язык. Конечно, за год службы к собачьей жизни отчасти привыкаешь, но иногда очень хочется завыть.

У Матвея тоскливый звериный вой обычно рождался не в глубине души, а банально — в желудке. Уход жены, не выдержавшей сомнительных радостей сожительства с вечно отсутствующим борцом с преступностью, оголил тылы и оставил его без стратегических запасов чистого белья и горячего питания. Две недели на порошковом кофе с заветрившимися бутербродами сократили молодую жизнь Матвея на годы. Он уже чувствовал приближение голодной и холодной старости с ее ужасными болезнями — слепотой и маразмом. Да уж не они ли вызвали эту ошибку?

Матвей позорно перепутал двери двух соседних номеров на пятнадцатом этаже отеля «Перламутровый». Ему нужен был шестьдесят пятый, а он постучал в шестьдесят седьмой! Непростительная невнимательность. Но двери были одинаковые, как близнецы, и нумерацию интерьер-дизайнер совершенно по-идиотски вынес в простенок, не удосужившись хотя бы стрелочками указать, к какой двери относится тот или иной набор цифр!

Лейтенанта Матвея Колобова откомандировали из тихой родной деревни в модный приморский город на время проведения финансового саммита. Статус международного мероприятия предполагал усиленную охрану территории и объектов, своих бойцов на курорте не хватало, и бравых парней в форме собрали со всего края.

В гостиничных хоромах станичный опер чувствовал себя некомфортно. В отрыве от малой родины он душевно слабел. Однако постучал Матвей как надо: уверенно, но без суеты. Звук получился грозный и даже зловещий — нечто среднее между размеренными ударами стенобитного орудия и стуком молотка, загоняющего гвозди в крышку гроба. После такого стука ритуальная фраза «Откройте, милиция!» звучала не глупо, как в водевиле, а внушительно, как в драме. По мнению простодушного Матвея, услышав его стук, человек с нечистой совестью должен был содрогнуться в унисон с дверью и однозначно понять: в продолжение акустического шоу его будут грамотно раскалывать. И исполненное подозрения и боязни «Кто там?» как будто подтвердило: Матвей пришел точно по адресу.

Обитатель номера 1567 говорил хрипло и в нос, словно простуженный.

— Откройте, милиция! — произнес Матвей строго по сценарию.

— Ага, врите больше! — издевательски хрюкнули по ту сторону двери.

— Открывайте, а то хуже будет! — уже не по сценарию пригрозил он.

— Куда уж хуже, — прохрипели в номере, а потом за дверью мучительно проскрежетало, словно по кафельному полу с натугой проехал слон на коньках.

Матвей поднял на лоб солнечные очки и уперся в дверь взглядом, проникающая способность которого сильно уступала рентгеновским лучам. Личность того, кто засел в номере, интриговала его все больше. Разгулявшееся воображение рисовало выпуклый образ неуклюжего слона-конькобежца с аденоидами и гландами. Маразм крепчал.

— Открывайте, — устало повторил Матвей.

Дверь приоткрылась, и в проем высунулась невероятная физиономия, об обладателе которой с полной уверенностью можно было сказать только одно: это не слон. Вместо хобота на белой гипсовой морде пламенел нос, напоминающий морковку снеговика. Ниже шеи — тоже гипсовой — белоснежку неопределенного пола укрывала простыня. Белой и шершавой, как мел, была и рука, придерживающая дверь. А вот колпак на голове оказался малиновым и заканчивался пышным помпоном.

Все вместе смотрелось сногсшибательно и вызывало желание покружиться в хороводе под елочкой.

«Здравствуй, Мотя, Новый год! — ошеломленно сказал себе Матвей. — Кто же это — мужик или баба?»

За год работы в райотделе милиции родной станицы Трюховецкой молодой опер насмотрелся на разных чудиков, но живого снеговика он видел впервые. Похоже, география участников международного финансового форума была максимально широкой и захватывала даже Лапландию с Гренландией. Молодому оперу захотелось сбегать на подземную стоянку и проверить, не перепрофилирована ли пара боксов под удобные ясли для упряжек северных оленей.

— Вам чего? — прохрипел снеговик, пугающе кашляя белыми клочьями.

Так и не определившись с половой принадлежностью собеседника, Матвей вежливо сказал:

— Здравствуйте, уважаемое! Один вопросик, если позволите. Вам эта вещица не знакома?

— А что? — недружелюбно спросил снеговик, исподлобья глядя на блестящую штучку, которую опер раскачивал перед его морковным носом, как гипнотизер.

— Кажется, у вас есть украшение из одного набора с этой сережкой? — в бархатных лапах дознавателя блеснули кончики когтей. — Хотелось бы знать — откуда?

— Не знаю, о чем вы! — высокомерно заявил снеговик и хамски захлопнул дверь.

Матвей нахмурился, покатал желваки на скулах и снова занес кулак над дверью, но в самый последний момент удержался от удара: осознание, что он ошибся дверью, выплыло из бездны подсознания и достигло обитаемых глубин. Матвей передвинулся на шаг влево, внимательно изучил два набора цифр в простенке и со стыдом убедился, что так оно и есть: он пошло перепутал двери.

— Извиняюсь, уважаемое, ошибочка вышла, — виновато пробормотал он и переместился к соседнему номеру.

Иногда у меня случаются моменты просветления: бывает, в затемняющем слабый разум мраке сверкнет молния, и тогда за долю секунды я успеваю увидеть нечто важное. Потом, правда, снова наступает тьма египетская, и я уже не понимаю, что к чему, но это уже совсем другая история.

Светлое серебро серьги с густо-красной коралловой висюлькой блеснуло в глаза, и в мгновенном озарении я поняла, что знаю, почему это чужое украшение кажется мне знакомым! Вовсе не потому, что вторая такая сережка по воле случая и добросердечного лопоухого чистильщика бассейнов попала ко мне вчера и лежит сейчас в моем кошельке, в отделении для мелочи. Нет, нет, запоминающееся этническое серебро с кораллом я созерцала и раньше!

— Лилипутское ожерелье! — ахнула смышленая Нюня. — Та цепочка с красненькой кривулькой, похожей на потемневший перчик, которую ты нашла под кроватью в соседнем номере!

— И которую потеряла в другом соседнем номере, — добавила Тяпа, быстро просчитав варианты.

Я согласилась с ней, вспомнив, как надела браслет, подобранный в пыли под кроватью, на руку — он был мне велик и недолго болтался на запястье. В баре, когда я впервые припала к источнику живительной влаги под названием «текила», украшение еще было при мне, я даже пару раз случайно макнула коралловый перчик в широкий стакан. А несколько позже, прогоняя из своего номера назойливого ночного мотылька Андрюшу, я отмахивалась от него уже голыми руками. Значит, браслет покинул меня на промежуточном финише в постели того типа, которого я выставила из его собственного номера в компании двух наглых девок.

Браслет подходил к сережкам, как родной. Я была совершенно уверена в этом — у меня хорошая зрительная память и отменное чувство стиля. Мне это говорили еще преподаватели в художественной школе, куда я ходила целых семь лет, пока Тяпа не одолела Нюню (после этого мы сменили благопристойную изостудию на тусовку неформалов-граффитчиков).

Желание сравнить имеющуюся у меня серьгу с потерянным браслетом возникло мгновенно и было совершенно непреодолимым. Зачем это нужно, я не знала (просветление в уме было кратковременным и сменилось полным затмением), но действовала так решительно, словно мной повелевали высшие силы. Или низшие, что было куда более вероятно. Нюня так и сказала, не скрывая возмущения:

— Что за бес в тебя вселился?!

Подозреваю, что имя беса имело французские корни и было написано на бутылке, которую я успела ополовинить. На трезвую голову я бы не решилась на эскападу, по безрассудству сопоставимую с индийским походом Александра Македонского!

Захлопнув дверь перед носом незнакомца с сережкой, я твердым шагом легионера проследовала на балкон, заглянула за перегородку и, убедившись, что в соседнем номере никого нет, привычно ловко прогулялась по перилам.

Цепочка с красной коралловой подвеской лежала на прикроватной тумбочке. Я ее увидела сразу же и без раздумий схватила, но не удержала:

случайно взглянула в зеркало на стене, и руки дрогнули. Видок у меня был еще тот! Плотная белая корка сделала меня толстой, какой я не была даже в восемь лет, когда все летние каникулы провела на даче у гостеприимных стариков и безобразно отъелась на бабушкиных пышках со сметаной. Теперь я сама выглядела как пышка, сплошь покрытая сметаной!

Руки мои затряслись, и браслет упал на пол. А в следующий момент настежь распахнулась входная дверь, я испуганно вздрогнула вся целиком и без задержки последовала за браслетом. Попадаться на глаза законному обитателю номера мне вовсе не хотелось. Тем более в образе накачанного, как культурист, белоснежного ангела! Хозяин-то номера парень модный, от таких шикарных лакированных ботфортов, как у него, я бы и сама не отказалась!

Потом я вспомнила, что сверкающие сапоги прилагались к эсэсовскому мундиру, и перестала восхищаться своим соседом по этажу. Придурок какой-то! Гестаповец.

— Тем более не стоит попадаться ему на глаза, — мудро решила осторожная Нюня. — Застенки гестапо — не место для девушки из хорошей семьи.

И я полезла под кровать, где, строго говоря, мне тоже было совсем не место, но больше-то спрятаться было негде.

— Дежавю, — прошептала Нюня, когда я, как и сутки назад, сунула голову в темное пространство, ограниченное бахромистыми краями шелкового покрывала.

— Второй раз на те же грабли! — беззвучно

взвыла Тяпа, потому что в потемках я вновь чувствительно наступила локтем на какой-то неуютный мелкий предмет.

Это была круглая пуговица из тусклого светлого металла абсолютно не гламурного армейского вида. Я стиснула ее в кулаке, и тут от двери донесся голос:

— Есть кто живой?

— Нет, все ушли на Восточный фронт! — ядовито шепнула Тяпа, проассоциировав армейскую пуговицу и немецкий мундир. — Ахтунг!

— Может, не надо?

Андрюша переступил с ноги на ногу, охнул и скривился.

— Дадо! — прогундосил Геннадий.

Он зажимал нос двумя пальцами, сложенными прищепкой. Резкий запах мази, которую наложила на рану Андрюши добрая докторша, заполнил кабину лифта, превратив ее в газовую камеру.

— Дам дакие дужды!

— Какие такие? Психические? — с досадой спросил Андрюша. — На фиг они нам нужны?

Лифт остановился на пятнадцатом этаже. Гена выскочил из кабины, сделал глубокий вдох, шумно выдохнул и только после этого посмотрел на Андрея. Взгляд его то ли слезился, то ли блестел высокомерием:

— Сразу видно, что ты не менеджер! И никогда им не будешь. Надо мыслить стратегически! Натуралы у нас есть?

— Есть! — подтвердил Андрюша, непроизвольно распрямив плечи и выпятив грудь.

— Навалом! — подтвердил Гена, и Андрюша

сразу сник. — А из экзотов кто? Только самые обыкновенные педики. Даже лесбиянок нет ни одной, не говоря уж о садомазерах! А спрос-то есть, и его надо удовлетворять! Иначе всем плохо будет.

— Кому — всем? — с подозрением спросил Андрюша.

Но Гена не стал развивать свою мысль. Небрежно кивнув дежурной по этажу, он зашагал по коридору, не глядя на цифры в простенках между дверьми. Гена работал в отеле «Перламутровый» не первый год и ориентировался на местности лучше, чем гостиничные тараканы.

Хороший опер два раза на одни и те же грабли не наступает.

Матвей хотел быть хорошим опером и на сей раз не ломился в дверь с разбега. Он постоял на пороге, внимательным взглядом соединяя короткие строчки цифр в простенке с соответствующей дверью, убедился, что вход в номер 1565 находится прямо перед ним, а не слева или справа, и только тогда поднял кулак.

На этот раз действительно все было по-другому. Дверь оказалась не запертой и гостеприимно распахнулась от первого же удара. Образовавшийся сквозняк выдул в открытую балконную дверь занавеску и взвихрил бахрому покрывала на кровати.

— Есть кто живой? — позвал Матвей, не переступая порог, чтобы не навлечь на себя обвинение в несанкционированном проникновении.

— Ахтунг! — не по существу, но с большим чувством произнес снеговик, выглянувший из-за спинки кровати, точно из-за ширмы кукольного театра.

Увидев еще одну белую морду с красным носом, Матвей подавился вежливым приветствием и спросил совсем не то, что намеревался:

— Блин, да сколько ж вас тут?!

— Нихт ферштеен! — не по-русски заявил белый монстр, пятясь и прячась в складках занавески.

Краем сознания Матвей отметил, что застенчивый нерусскоязычный снеговик из шестьдесят пятого номера держится совсем иначе, нежели его хамовитый собрат из шестьдесят седьмого. Очевидно, давала о себе знать хваленая европейская культура.

— Пардон, — тоже не по-русски брякнул Матвей и закрыл дверь.

Два снеговика — это было чересчур даже для очень представительного международного саммита. Зародившееся у Матвея подозрение, будто старческий маразм пришел к нему с опережением графика, усилилось.

Секунд двадцать он смотрел на дверь, непроизвольно чеша в затылке и шевеля губами, потом мимо него довольно невежливо протолкались два мужика, шагавшие по ковровой дорожке плечом к плечу. Выглядели они как ветераны уличных боев: один приволакивал ногу, а у другого был подбит глаз, да так основательно, что лиловый синяк окружал стекло темных очков широкой каймой.

Без всякой симпатии покосившись на Матвея, увечные грубияны остановились под дверью номера 1567 и переглянулись.

— Ты первый! — подтолкнув хромого, сказал одноглазый.

— Тук-тук! — не прикасаясь к двери, возвысил голос хромой.

— Мужики, там снежная баба, — по-товарищески предупредил Матвей.

— Ни фига себе нежная! — потрогав заплывшее око, пробормотал одноглазый, у которого, похоже, проблемы были не только со зрением, но и со слухом.

— Может, ну ее на фиг? — оживился хромой.

— Именно туда, Андрюша, именно туда!

Одноглазый криво усмехнулся и подтолкнул товарища к двери.

Матвей повернулся к калекам спиной, пошел по коридору и мимоходом нарочито небрежным светским тоном спросил горничную, толкающую перед собой тележку с бельем:

— Девушка, что за клоуны у вас тут живут?

— Это вы про немецкого фашиста говорите или про индийскую принцессу? — кокетливо поправив обесцвеченный локон, охотно включилась в беседу дружелюбно настроенная Клава.

Непринужденно прозвучавшая фраза будила воображение. Сельский опер понял, что реальный размах финансового шабаша намного шире, чем он думал. Ностальгия по тихой станице Трюховецкой с ее монорасовым обществом накатила на него, как упряжка ездовых оленей. Матвей потер лоб и болезненно скривился.

— Вам нехорошо? Может, дать таблеточку от головы? — заволновалась общительная горничная.

— А от маразма у вас ничего нет? — морщась, спросил Матвей.

— Тут никого нет! — громко удивился хромой, осмелившийся заглянуть в шестьдесят седьмой номер.

— А вы в шестьдесят пятый зайдите, там еще один сидит! — не оборачиваясь, угрюмо посоветовал Матвей.

И снова я шла над бездной, как цирковой канатоходец! И не страшно мне уже было ни капельки, даже весело! И ветерок, раздувающий мой простынный балахон на манер парашюта (который, правда, не спас бы меня при падении с пятнадцатого этажа!), не леденил тело и душу, а казался приятно свежим.

— Трепал нам кудри ветер высоты! — запела в моей душе бесшабашная Тяпа.

— И целовали облака... слегка, — неуверенно продолжила песню Нюня.

На самом деле кудри мои прятались под шапочкой, так что ветер высоты их вовсе не трепал. Зато он сдувал с открытых участков тела лекарственную пену. Она падала с меня клочьями, как шерсть с линяющей болонки, и свободно разлеталась по ветру. Такой эффект, разве что более выраженный, мог иметь взрыв петарды в курятнике.

— Не задерживайся, проходи быстрее, пока тебя никто не заметил! — поторопила Тяпа.

Снизу, действительно, уже слышны были недовольно бубнящие голоса. Крепко зажав в одном кулаке браслет с кораллом и алюминиевую пуговку, я проскочила по перилам в обратном направлении и благополучно вернулась в свой номер.

— Куда ты меня привез, Жорка! — ныла Люсенька, неприязненно оглядывая окрестности с высоты двенадцатого этажа. — Ни боулинга, ни дискотеки приличной! В спа-салоне даже альфа-капсулы нет, дыра дырой! И хо-о-олодно! Лучше бы мы в Дубай полетели.

— Люсь, какой холод? — лениво удивился Жора.

Он лежал в постели под одеялом, смотрел спутниковое телевидение, пил пиво и чувствовал себя вполне счастливым. Боулинг, дискотека и спа-салон с альфа-капсулой были ему нужны примерно так же, как рыбе зонтик.

— Адский холод! — заупрямилась Люсенька, проявляя вопиющую неграмотность по части климатических зон загробного мира. — И снег идет... Жора, правда ведь, снег!

— Люсь, ты опять? Какой снег?

— Белый! — взвизгнула Люся, оскорбленная недоверием любимого.

— Люся, в прошлый раз, когда сверху белое сыпалось, ты тоже кричала — снег, снег! А это оказалось сухое птичье дерьмо, — терпеливо напомнил Жора.

— Помет, — высокомерно поправила Люся, демонстрируя похвальное знание терминов зоологии. — Но это точно снег, Жора, огромные хлопья, ты сам посмотри!

Жора приподнял голову, посмотрел сквозь открытую балконную дверь и присвистнул:

— Да ладно?!

Сверху, косо спланировав мимо балкона, упал приличный шматок белой массы — пористый и красиво искрящийся на солнце.

— Надо же, и правда — снег! В ясный солнечный день! — Жора пошевелил густыми бровями и снова опустил голову на подушку.

Причуды погоды за окном волновали его не многим больше, чем отсутствие боулинга, дискотеки и спа-салона. Жора свил себе замечательную альфа-капсулу в кровати, и ничто не могло помешать ему вкушать заслуженный отдых. А редкое явление природы — слепой апрельский снег —

только добавляло этому пикантной оригинальности.

— Знал я, что бывает слепой дождь, но слепой снег вижу впервые, — разнеженно пробормотал Жора, подхватывая с тумбочки пивную бутылку. — И в каком Дубае, Люсь, ты бы на такое чудо посмотрела?

— Чудо в перьях! — сказала я своему отражению в зеркале собственного номера.

Холодные пальцы ветра изрядно пощипали мою белую шкуру. В красном берете и алых проплешинах по всему телу я смотрелась совсем уж неэстетично — как ненормальный мухомор. Поэтому я смыла остатки лекарственной пены под душем и, превратившись из пятнистого красно-белого чучела в повсеместно красное, тщательно намазалась Райкиным маслом «после загара». Это превратило меня в подобие статуэтки из лакированного дерева — естественно, красного.

— Ничего, «красный» и «красивый» — слова-синонимы, — в утешение напомнила Нюня.

Инструкция к косметическому средству обещала, что оно впитается, не оставив следа на коже, через три минуты. Две я потратила на выбор наряда, который максимально скрыл бы от взглядов окружающих мою ослепительную красную красоту, и еще одну употребила на вдумчивое созерцание браслета и сережки.

Я положила их рядом и убедилась, что вещички подходят одна к другой идеально. Более того, на металлических зажимах, фиксирующих кораллы, и там и сям был выдавлен маленький значок — вероятно, клеймо мастера, сделавшего этот комплект.

— Давайте рассуждать логично, — предложила Тяпа. — Браслет Танюха нашла под кроватью в шестьдесят девятом номере позапрошлой ночью. А серьгу обнаружили в стоке бассейна, где утонула девушка, вчера утром. Следовательно, можно предположить, что та девушка незадолго до своей гибели побывала в номере 1569.

— Почему незадолго? — спросила Нюня.

— Если бы у нее было достаточно времени, она бы обязательно сняла эти серьги, — уверенно сказала Тяпа. — Любая нормальная женщина, потеряв одно украшение из набора, поскорее сменила бы весь комплект.

— Почему? — спросила Нюня.

— Потому что любая нормальная женщина хочет выглядеть идеально! — рассердилась Тяпа. — А неполный комплект — это явное несовершенство! Кому охота чувствовать себя ущербной?

— Я согласна с тем, что утонувшая девушка была в шестьдесят девятом номере позавчера вечером, но аргумент у меня другой, — заявила Нюня. — Днем в номерах делают уборку, так что браслет, потерянный раньше, нашла бы не наша Таня, а горничная!

— Один аргумент хорошо, а два лучше! — не стала спорить Тяпа. — Я к чему клоню? Райка наша ходила к одноразовому хахалю Витьке в шестьдесят девятый номер не позавчера, а днем раньше. Следовательно, браслет потеряла не она. Значит, и утонула не она.

Некоторое время назад я уже пришла к этому оптимистичному выводу на основании того, что у

Раисы не были проколоты уши, но найти лишнее подтверждение своей правоты оказалось приятно. Немного подумав, я отыскала еще один косвенный аргумент в пользу версии о том, что моя Райка и утопленница — две разные брюнетки. Я потеряла браслет, потому что он был для меня широковат, а ведь у невысокой и худощавой (за исключением бюста) Раисы запястье было поуже моего! В них-то она силикон не закачивала! Точно, это не подружкин браслет, ей он был бы не по размеру.

В общем, я старательно убедила себя в том, что жуткую смерть в сливной трубе бассейна нашла совсем другая женщина, из чего следовало, что моя дорогая подруга, вполне возможно, жива. Далее возникал закономерный вопрос: где же она пропадает уже вторые сутки? Зная Райку, я подозревала, что для решения этой задачи имеет смысл заменить «где» на «с кем». Моя подруга — чертовски компанейская девушка! Думаю, она даже на тот свет не пойдет без сексуального спутника!

— О, вот еще один оригинальный аргумент в пользу того, что одинокая ночная утопленница — это не наша Райка! — обрадовалась Тяпа.

— Довольно болтовни! — строго сказала Нюня. — Надо, наконец, пойти и расспросить дежурную по этажу и администратора на ресепшене насчет Райкиного письма!

Мысль была хорошая, правильная, но я не забыла, к каким последствиям она привела вчера, поэтому робела выходить в народ. Слишком много людей в последнее время проявляли к моей персоне деятельный интерес, причины которого мне были непонятны, и прояснять их как-то не хотелось. Чтобы что-то прояснить, надо пообщаться, чтобы пообщаться — повстречаться... А из вчерашних моих знакомых встречаться мне не хотелось ни с кем. Ни с продажным мужчиной Андрюшей, ни с его сутенером Геной, ни с изящным блондинчиком и его приятелем — уменьшенной копией Кинг-Конга, ни с теми приличными с виду господами, которым я обязана была нездоровым крепким сном под палящим солнцем.

К счастью, свободный наряд из тонкой хлопчатобумажной ткани и соломенная шляпа изменили мой обычный имидж девочки-студентки до неузнаваемости.

Эти обновки привез мне из служебной командировки в Мехико любящий папа. Шляпу он купил в сувенирной лавке аэропорта, и она не сильно отличалась от типичного для наших широт головного убора сторожа колхозной бахчи, а вот платье дышало знойным латиноамериканским колоритом, как текила — ароматом сочных кактусов. Во-первых, это было даже не платье, а подобие пончо — прямоугольный кусок экологически чистой мануфактуры с отверстием для головы и короткими боковыми швами, выше которых имелись дырки для рук, а ниже остались длинные разрезы. Во-вторых, матерчатый прямоугольник имел насыщенный лиловый цвет, который я до сих пор видела только на полотнах Рериха, и по периметру был старательно обшит лохматым галуном из красных, желтых и синих шерстяных ниток. Вырез одеяния украшал геометрический узор из бисера с вкраплением крупных разноцветных стекляшек. К пончо прилагалась маленькая матерчатая сумочка на длинной веревочной ручке, тоже расшитая разноцветными кожаными лохмами, бисером и каменьями. Все это пестрело, блестело, сверкало и переливалось — даже фантазийный микс из натурального заката над Андами, северного сияния, метеоритного дождя и праздничного фейервека не смотрелся бы столь красочно!

Пока мои лицо и руки были нормального цвета, великолепное пончо смотрелось на мне, как богатая попона султанского слона на маленьком невзрачном ослике, а вот нынешняя красная кожа сочеталась с богатой цветовой гаммой наряда вполне гармонично. Я даже нашла, что рядом с яркими красками мексиканского одеяния рубиновый цвет моих кожных покровов существенно померк, и это не могло не радовать: теперь люди будут засматриваться не на меня, а на пончо. Я надеялась, что неплохо замаскировалась, тем более что сиреневый лоскут скрывал меня почти целиком.

Помнится, еще когда папа вручил мне свой подарок, я примерила обнову и виновато подумала, что слишком редко навещаю родителей — вот, любящий отец успел забыть мои размеры! В чересчур свободном пончо я казалась себе центральным колышком туристической палатки. Понч-палатка висела на мне, как на гвоздике, свисающие края закрывали руки до кончиков пальцев, углы подола болтались на уровне щиколоток — не хватало только корзины с ягодами кофе и горной ламы на поводке, чтобы выглядеть как изможденная мексиканская крестьянка! Но у свободного покроя было одно большое достоинство: ткань почти не соприкасалась с зудящей кожей, и это спасало меня от избытка болевых ощущений. Поэтому я осталась довольна своим новым образом и пожалела только о том, что придется идти в люди с ненакрашенными губами: на общем фоне багровой физиономии потерялась бы любая помада. Мимолетную мысль намазать губы зеленкой (она бы не потерялась) я забраковала: мне еще в школьной изостудии внушили, что сочетание красного и зеленого подходит только для светофора.

— Совсем неплохо! — подбодрила я себя, нахлобучив на голову шляпу мексиканского колхозника и окончательно превратившись в экзотическое чучело. — Ну, с богом!

С этими словами я нацепила на шею бисерную сумочку, в которую поместились только мобильник и кошелек. В следующую секунду в ванной погас свет, а в комнате с протестующим рычанием отключился бесцеремонно обесточенный холодильник.

— Это знак! — встрепенулась Тяпа, жаждущая решительных действий. — Прямой намек высших сил на то, что нельзя засиживаться в укрытии и оставаться во мраке неизвестности. Пора выходить на свет истины!

Я вышла из номера и оказалась в кромешном мраке. Свет истины брезжил где-то в другом месте — лампы под потолком не горели, а других источников освещения в коридоре не было. Оробевшая Нюня выразила сомнение в Тяпиной способности к безошибочному толкованию знаков свыше и оказалась совершенно права: едва я сделала пару шагов, какой-то невидимка так сильно толкнул меня, что я влипла в стену всей спиной и заорала от боли!

— Тихо! — рука невидимки плотно зажала мне рот. — Не ори!

Меня еще крепче притиснуло к стене, так что

не орать я не могла и продолжала приглушенно вопить сквозь чужую ладонь, пока она не сползла мне на горло. После этого я могла только хрипеть.

— Скажешь правду — будешь жить, — неискренне пообещал злобный шепот.

Он был такой горячий, что брызгал мне в ухо кипятком.

— Где она, говори?!

— Хто-о? — дергаясь, прохрипела я и получила затрещину.

— Убью дуру!

На этот раз шепот прозвучал вполне убедительно, и я ему поверила: убьет! За что — непонятно, но запросто убьет, гад! Сожмет мою шею покрепче, подержит подольше, и погибну я бесславной и, главное, безвременной смертью!

— Говори, где Золотая рыбка! — гад буквально ошпарил мне ухо ядовитой слюной, но зато разжал руку, позволив мне сделать вдох.

— Вам Раиса нужна! — догадалась я, услышав прозвище, которое моя тщеславная подруга присвоила себе много лет назад. — Но я не знаю, где она! Она пропала позапрошлой ночью. Я сама ее ищу!

— А вот это ты зря, этого не надо, — прошкворчал невидимка. — Не ищи ее, не любопытничай. Целее будешь!

Я почувствовала, что меня отпустили, обессиленно сползла по стенке на пол, и тут же кто-то чувствительно запнулся о мои ноги. Мой болезненный вскрик и чей-то мужественный мат раздались одновременно, но были намертво заглушены шумом падения.

— Попался! — враз воодушевившись, ликующе воскликнула я.

— Эй, кто тут хулиганит? — прокричал из темноты сердитый женский голос. — Какая сволочь рубильник трогала?

Лампы под потолком вспыхнули дружно и ярко. Я зажмурилась, но тут же заставила себя открыть глаза, торопясь увидеть своего обидчика поверженным. Такое зрелище, как враг, распростершийся у моих ног, я пропустить не могла! Я девушка в целом добрая, но злопамятная, и тому, кто грозился меня убить, ждать от меня хорошего не приходится. Очень хотелось взглянуть этому негодяю в лицо и торжествующе сказать что-нибудь вроде: «Что, мерзавец, не вышло по-твоему?!»

Однако со взглядом в лицо пришлось повременить, так как противник был ориентирован ко мне задом. Он стоял на четвереньках посреди коридора, зажимая ладонью разбитый нос, и мычал, как настоящее четвероногое. Я не выдержала искушения, дернула ногой и из позиции «полулежа» дала гаду пинка. Он зарычал, обернулся, и я узнала своего вчерашнего знакомца — страхолюдного Кинг-Конга. Над горбатым хребтом поверженного монстра бледной луной реяла широкая физиономия грушевидной горничной Клавы.

— Вы тут че? — озадаченно спросила она, обращаясь ко мне.

Мычащий Кинг-Конг не производил впечатления разумного существа, наделенного даром связной речи.

— Все свидетели, он сам напросился! — быстро сказала я, подбирая ноги.

— Ошизеть! — восторженно прошуршал знакомый голос у меня за спиной. — Вот тебе и садо-мазо!

Я обернулась. Часто моргая одним глазом (на втором сырела марлевая нашлепка), на меня с необъяснимым удовольствием взирал змеевидный сутенер Гена.

— Че? — я тоже моргнула, как Клава.

— Видал, Андрюшенька, как работать надо? — продолжая любоваться мной, через плечо спросил Гена Одноочковая Змея своего вечного спутника. — Что клиент ни попросит, она все может! Да с выдумкой, с огоньком, всегда в костюмчиках карнавальных! Детка, ты на кого работаешь?

— На кого работаешь, падла?! — взревев, ринулся ко мне Кинг-Конг.

— Помогите! — взвизгнула я, проворно обегая Гену с Андрюшей и прячась за их спинами.

— Поможем! — с готовностью кивнул сутенер. — Напарницу тебе подберем, охрану обеспечим, все условия создадим, ты только работай!

Я не стала задерживаться в компании сумасшедших и с максимально возможной скоростью устремилась к лифту, слыша за спиной бессловесное рычание Кинг-Конга и агитационные выкрики Гены:

— Ты подумай: медицинское обслуживание! Восьмичасовая рабочая ночь! Спецодежда за счет фирмы!!!

Лифта не было, и я не стала его дожидаться, пробежала дальше и толкнула дверь на лестницу.

Неожиданный удар по голове смял в лепешку мою мексиканскую шляпу, и под нарастающий звон в ушах я услышала:

— Сказано же — не любопытничай!

А потом свет снова погас, и я выключилась вместе с ним.

— Мадам!

Наверное, тот, кто осторожно хлопал меня по щекам, не знал, что обожженная солнцем кожа чрезвычайно чувствительна к любым прикосновениям. Я дернулась и взвыла, как будто меня припекло утюгом, а он испугался, охнул и торопливо сказал:

— Черт, надо кого-нибудь позвать!

— Никого... не зовите... — в два приема простонала я.

Представлялось весьма вероятным, что на зов сбегутся совсем не те, кто надо. По моим наблюдениям, по части забегов в этом заведении лидировали сплошь мерзопакостные личности — свирепый Кинг-Конг, гнусный Гена, развратный Андрюша...

— И еще тот невидимка, который дал тебе по башке! — Тяпа пополнила список резвых бегунов. — Он, похоже, шустрее всех прочих, просто чемпион! Так и удрал незамеченным.

— Вы говорите по-русски? — обрадовался тот, кто лупил меня по щекам. — Я подумал, что вы иностранка!

— Бангалорские мы, — вздохнула я, частыми взмахами ресниц разгоняя туман перед глазами.

Первым, что я увидела, были мои собственные голые ноги. Ярко-красные с внешней стороны и белые с внутренней, они очень напоминали вареные королевские креветки, но намного превосходили их по размерам и значительно уступали в аппетитности. В памяти всплыла строка одного из поэтов Серебряного века: «О, закрой свои бледные ноги!» С поправкой на цвет, эта поэтическая мольба вполне выражала желание моей стыдливой Нюни. Я пошарила рукой по бедру, пытаясь нащупать задравшийся подол пончо, и зацепила кружевную резинку стрингов. Ничего, кроме них, на мне не было!

— Да что же это такое! — сердито удивилась Тяпа. — Позавчера ты нагишом гуляла по балконам, вчера полуголой валялась на крыше, сегодня в одних трусах лежишь на лестнице — не перебор ли с эксгибиционизмом?

— Прикройся, прикройся, прикройся! — истерично взвизгивала Нюня.

Прикрываться вновь пришлось ладошками, и я впервые порадовалась, что мои женские прелести не раздуты силиконом.

— Кажется, это ваше?

С чувством великого облегчения я увидела планирующий на меня сиреневый плат. Он накрыл меня, как боевое знамя — павшего героя.

— Спасибо вам, добрый человек! — с глубочайшей искренностью сказала я.

— Да не за что, — поскромничал добрый человек.

— Не только добрый, но и симпатичный! — отметила Тяпа.

Доброму симпатяге было лет тридцать. Глаза у него оказались черные, как маслины, волосы светлые, как солома, а лицо загорелое, и в белом костюме мужчина выглядел как фотографический негатив.

— Я просто шел, шел, вижу — вы лежите... Что с вами случилось?

— На меня...

— Тихо! — цыкнула мне в ухо Тяпа. — Если ты скажешь: «На меня напали», это повлечет дальнейшие расспросы — кто напал, почему напал... А ты и сама ответов не знаешь. Зачем же будоражить общественность?

— И, кстати, надо еще разобраться, откуда тут взялся этот гражданин, не сам он ли тебя ударил? — с подозрением спросила Нюня.

Мысль о том, что этот добрый человек на самом деле может оказаться злым невидимкой, меня встревожила, однако начатую фразу надо было как-то заканчивать, поэтому я вздохнула, маскируя возникшую паузу, и с печальной доверительностью договорила:

— На меня... опять накатило. Эпилепсия, знаете ли!

— Ужасная болезнь! — подхватив тему, показательно закручинилась артистичная Нюня.

— Наследие предков! — брякнула Тяпа.

— По ацтекской линии от Кецалькоатля, — изобретательно добавила я, кстати вспомнив единственное известное мне божество ацтеков.

— Они все вымерли! — всхлипнула Нюня.

— Тоже сильно болели, — припечатала Тяпа.

В целом получилось очень душевно. Я сама едва не всплакнула над суровой судьбой своих мексиканских пращуров, массово скошенных ужасной хворью.

— Кстати, эта версия загадочного исчезновения цивилизации ацтеков и инков ничуть не хуже тех, что выдвигают антропологи, — заметила эрудированная Нюня.

— Как-как вы сказали? Ацтеки из Бангалора? — неожиданно заинтересовался добрый человек.

Глядите-ка — еще один антрополог!

— Нет-нет, бангалорские мы по отцу, — выкрутилась Нюня.

— А ацтекские — по матери! — уже сердясь, хамовито рявкнула Тяпа.

Но надежда на то, что добрый человек не настолько добр, чтобы сверх необходимости затягивать общение с потомственной эпилептичкой из рода древних мексиканских негодяев, не оправдалась.

— Нечасто в наше время встречаются люди, так много знающие о своих корнях! — похвалил меня он. — Скажите, а вы нарисовали генеалогическое древо вашей семьи?

Я мгновенно представила себе это древо, корнями уходящее в основание Анд — с одной стороны, и в отроги Гималаев — с другой, в виде огромного неохватного баобаба, произрастающего на шести дачных сотках нашего семейства. Высится оно, закрывая собой полнеба, над бабулиными клубничными грядками, а я стою внизу с малярной кистью и размашистыми мазками живописую родовое чудо-дерево на холсте, натянутом на заборе. Я впечатлилась воображаемой картиной и потрясла головой:

— Нет, еще не нарисовали. Только собираемся.

— Слушайте, а ведь и правда здорово было бы собраться всей семьей и сотворить что-нибудь такое, эпическое, чтобы на века, для потомков, до седьмого колена! — не вовремя воодушевилась Нюня.

— Тань, насчет коленок: может, ты уже оденешься? — осекла энтузиастку прозаичная Тяпа.

Это заставило меня вспомнить, что светскую беседу на историко-антропологическую тему я веду в неподобающем виде. Будь это еще возможно, я бы покраснела.

— Вы не могли бы отвернуться? — смущенно спросила я доброго человека.

— О, если вы в порядке, я уже ухожу! — он заторопился, но замешкался перед дверью, чтобы спросить:

— Вы не скажете мне свое имя? Я Павел.

— А я Та...

— Имя «Таня» для девушки из староиндийского рода с примесью древнеацтекских кровей уж слишком простовато! — скороговоркой нашептала Гяпа.

И сама же меня переименовала:

— Та... Тагора! Рабиндраната Тагора!

— Ибн Кецалькоатль, — пробурчала Нюня, недовольная нашим махровым враньем.

— Можно просто Ната, — смиряясь, сказала я.

— Очень приятно, Ната, будем знакомы!

Загорелый симпатяга сверкнул белозубой улыбкой и скрылся за дверью.

Оставшись одна, я спешно вывернула пончо и сокрушенно цокнула языком при виде повреждений, которые причинил моему еще недавно роскошному одеянию злокозненный невидимка. Что он делал с бедным пончо? Терзал его зубами и когтями? В бисерно-стеклярусной отделке зияли сквозные дыры!

Однако привередничать было не время, другой одежды у меня не имелось. Путаясь в умножившихся отверстиях, я влезла в пончо, поискала глазами сумочку и головной убор, нашла только шляпу и чуть не расплакалась.

Сомбреро выглядело как орлиное гнездо, упав-

6 – 9769

шее с верхушки баобаба и раздавленное колесом цивилизации. Я поняла, что надеть ЭТО не смогу ни за что. Скорее вымру, как те припадочные ацтеки!

— Нашла время пижонить! — прикрикнула на меня Тяпа. — Не нравится тебе шляпка — не надевай, но нечего тут торчать, как деревянный идол!

— Краснодеревянный, — съехидничала Нюня.

— Ты куда собиралась? В лобби, на ресепшен? Вот и топай! — разозлившаяся Тяпа продолжала меня гнобить.

Тоже осерчав, я пнула то, что осталось от шляпы, и пошла вниз по ступенькам.

— Может, на сей раз это все-таки был обыкновенный грабитель? — малодушно закрывая глаза на очевидные факты, с надеждой спросила Нюня. — Сумочка-то пропала! А там и кошелек с деньгами был, и новый мобильник...

Золоченого, со стразами, мобильника, подаренного мне мамочкой на день рождения, в другой ситуации было бы очень жаль, но сейчас я не задумываясь отдала бы все мирские блага за душевное спокойствие. Что и говорить, самый обыкновенный патриархальный грабитель, нагло тырящий дамские сумочки, был куда предпочтительнее, чем загадочный невидимка с повадками мучителя-душегуба!

Но это снова было никакое не ограбление. Через несколько шагов мне под ноги попалось то, что осталось от моей чудесной мексиканской сумочки — одинокая измочаленная веревочка. Неподалеку в россыпи купюр и мелочи валялись выпотрошенный кошелек и мобильник, похожий уже не на золотое яичко, а на скорлупу, из которой благополучно вылупился цыпленок. Рассмотрев разбитый корпус, я поняла, что осталась без мобильника. Правда, сим-карта была на месте. Ее и деньги я собрала в пригоршню и зажала в кулаке, который заметно утяжелился и окреп — одновременно с простым и понятным желанием врезать кому-нибудь.

При наличии исправных и быстроходных лифтов лестницей в отеле пользовались немногие. Именно поэтому моя Нюня предположила, что Павел может быть добрым человеком и злым невидимкой в одном симпатичном лице. Казалось маловероятным, что загорелый красавец в шикарном белоснежном костюме, с виду — натуральный миллионер, имеет странное обыкновение подниматься на пятнадцатый этаж своим ходом. Разве что его вырастили малообеспеченные родители, проживавшие в высотной башне с вечно неисправным подъемником, и бедный будущий миллионер так часто совершал затяжные восхождения по ступенькам, что это вошло у него в привычку. Впрочем, он мог прийти на пятнадцатый этаж не снизу, а сверху — например, с крыши.

— Вполне возможно! — обрадовалась Нюня, которой очень понравилась мысль, будто я невзначай познакомилась с миллионером (она еще не потеряла надежды выдать меня за сказочного принца на белом коне). — Не исключено, что он прилетел на собственном вертолете и воспользовался лестницей по пути с крыши!

— Прилетит вдруг волшебник в голубом вертолете! — насмешливо напела Тяпа (она давно не рассчитывает на принца и согласна просто на жеребца). — И бесплатно покажет кино!

А кино между тем продолжалось. На лестничной площадке между десятым и девятым этажом мне неожиданно встретилась еще одна любительница прогулок по лестничным маршам, с виду — уж точно не миллионерша: рыхлая блондинка с распущенными до пояса космами, одетая в короткое платьице из тягучего синтетического бархата глубокого синего цвета. Ее узловатые, как у лошади, ноги были обтянуты кружевными чулками и заканчивались тяжелыми копытами с трогательной кожаной перепоночкой, которая гораздо больше подошла бы туфелькам Алисы в стране чудес.

При моем появлении эта особа повернулась лицом к стене и уставилась в зеркало пудреницы, с притворной беззаботностью напевая «ля-ля-ля» и делая вид, будто рассматривает собственную физиономию.

Но я-то не круглая дура! Я прекрасно видела, что блондинка вертит пудреницу, пытаясь поймать в зеркальце МЕНЯ, и спина у нее при этом напряженная, словно она ожидает удара сзади.

На невидимку, который под страхом смерти запретил мне проявлять естественное для женщин и кошек любопытство, эта дамочка не очень-то походила. Если бы у невидимки на ногах были такие массивные каблуки, она не смогла бы двигаться быстро и бесшумно. Опять же супермини — не самая подходящая спортивная форма для подвижной игры в догонялки и прятки. Тем не менее поведение блондинки настораживало. Не зная, чего ждать дальше, я остановилась на нижней ступеньке лестницы и нерешительно кашлянула.

— Ля-ля-ля, ля-ля-ля, — продолжая таращиться в свой перископ, неблагозвучно мурлыкала подозрительная особа.

— Затаилась, зараза! — жестко сказала Тяпа. — Надо вынудить ее повернуться лицом и заговорить. Живо, спроси что-нибудь!

— Не подскажете, как пройти на первый этаж? — спросила я первое, что пришло в голову.

Вопрос, конечно, был идиотский, но блондинка отреагировала на него уж слишком бурно. Она дернулась, стукнулась крутым бедром о стену, и на пол с пластмассовым стуком что-то упало — круглое, вроде колесика.

— Пудреница, — предположила моя Нюня — и ошиблась.

Вприпрыжку прокатившись по выщербленному цементу лестничной площадки, к моим ногам подбежала... коробочка электрической розетки. Старомодная такая, небольшая, круглая, с широкими стенками.

— Вот гадство! — негромко выругалась блондинка, опуская руку с пудреницей.

Теперь она косила на меня через плечо, уже без перископа, сквозь завесу собственных лохм. А я при виде разобранной розетки мгновенно вспомнила недавнюю каверзу с рубильником, выключение которого обесточило весь пятнадцатый этаж и позволило враждебному невидимке незаметно подобраться ко мне и так же незаметно убраться. Блондинка, забавляющаяся с электрооборудованием, вполне могла оказаться его сообщницей!

— Не вздумай пойти в рукопашную, Танечка! — быстро попросила Нюня, упреждая соответствующее предложение Тяпы. — Ты ничем не вооружена, а эта женщина на двадцать кило тяжелее! Я — за тихое отступление.

Не сводя глаз с блондинки, наблюдающей за мной сквозь волосяной занавес, я попятилась на одну ступенечку, на вторую... Потом развернулась и быстро, но с достоинством зашагала наверх. И при этом старалась идти как можно тише (в смысле производимых звуков, а не развитой скорости), чтобы, не дай бог, не пропустить атаку с тыла, если подозрительная блондинка вдруг вздумает на меня напасть.

Она не вздумала. Никем не преследуемая, я поднялась на полтора пролета и на площадке одиннадцатого этажа увидела большой мешок из черного полиэтилена, наполненный разнообразным мусором. Сверху лежала одинокая увядшая роза на длинном-предлинном стебле. Цветок почернел и скукожился, листья на стебле высохли, а вот с колючками ничего страшного не случилось, они только крепче стали.

— Вот и оружие! — обрадовалась я.

Блондинка полутора этажами ниже никак себя не проявляла.

— Затаилась! — повторила моя боевая подруга Тяпа.

Я тоже не стала шуметь. Тихо-тихо, как паучок по своей ниточке, я спустилась на полтора марша вниз, крепко сжимая конец розового стебля, в нижней его части тщательно очищенный от колючек.

Блондинка, стоя ко мне спиной, непонятно возилась у стены.

— Ковыряется в розетке! Точно, опять готовит диверсию по части энергоснабжения! — Тяпа даже обрадовалась, что наши подозрения по поводу блондинки подтверждаются.

Это снимало поставленный Нюней моральный блок, не позволяющий мне напасть первой.

Я подкралась поближе и вытянула руку с дохлой розой так, что акульи плавники острых колючек зависли под коленками блондинки. Не подозревая, какая страшная опасность нависла над ее дорогими колготками, она неторопливо повернулась и увидела меня.

Как девушка в меру скромная, не лишенная здоровой самокритики, я никогда не претендовала на гордое звание эффектной женщины. Но раньше я не была свирепой краснокожей скво, одетой в драное мексиканское пончо и фехтующей шипастой розгой! Воистину, сегодня я была эффектна. Воображаемые индомексиканские предки во главе с Кецалькоатлем и Кришной (харе ему!) могли мною гордиться.

— О господи! — в непритворном испуге выдохнула блондинка, не уточнив, к какому из отдаленно родственных мне богов она взывает.

Теперь, увидев лицо, я ее узнала. Это была ночная бабочка Катя, с которой я в образе кроткой бангалорской принцессы препиралась в холле на пятнадцатом этаже. Та самая, которая сначала назвала меня дешевкой, а потом безвинно записала в лесбиянки!

— Стой смирно! — приказала я и для острастки пощекотала ажурную коленку блондинки неэротично поникшим розаном. — А то ка-ак царапну, и ты вмиг попрощаешься со своими фасонистыми чулочками!

Я присмотрелась к изящному кружевному плетению и не удержалась от вопроса:

— Триста рублей за пару?

— Четыреста пятьдесят, — глядя на подрагивающую розгу, как завороженная ответила Катя.

— Дорого! — возмутилась я.

— Курортная наценка — пятьдесят процентов, — блондинка вздохнула. — Это мои парадные чулки, только для ВИП-клиентов. К тем, кто попроще, я сеточки за пятьдесят рэ надеваю. Рвут же, заразы! На них не напасешься.

— Чулки лучше по нескольку пар сразу покупать, — сообщила я, вспомнив одну из житейских мудростей Раисы Лебзон. — Тогда, если один чулок порвался, второй можно дальше носить с другой парой. Экономия до сорока процентов!

— А еще можно, как только наденешь, хорошенько побрызгать чулок лаком для волос! — оживилась Катя. — Тогда его фиг порвешь, разве что специально! Раз надела — и на всю ночь! Правда, снимать потом приходится под душем, потому что иначе, как с мокрой ноги, лакированный чулок не отклеивается.

Разговор становился все увлекательнее и доверительнее. Такой оборот уже не предполагал шантажа и угроз. Поколебавшись, я опустила розгу.

— Слушай, чего ты за мной ходишь? — со вздохом спросила блондинка. — Тебя Геннадий послал?

— Геннадия вашего я сама послала! — я вновь напряглась и дернула колючкой.

— Тихо! — Катя попятилась в угол. — Уж больно ты резкая, милочка. Геннадий наш, конечно, не подарок, но Папа с Мамой еще хуже.

— Чьи папа с мамой? Геннадия?

— Нет, он на Дядю работает.

— Ничего не понимаю, — честно сказала я. — В этом отеле проституция — семейный бизнес?

— Милочка, ты откуда взялась? Тебе все объяснять нужно?

— Нужно, — кивнула я.

— Я вижу. Пошли на базу, там поговорим.

Окончательно осмелев, блондинка выступила из угла, подхватила меня под руку и повела вниз.

Оказывается, базой местным ночным бабочкам служил кафетерий под лестницей — довольно непрезентабельное заведение, расположенное в стороне от торных троп, под косым сводом лестничного марша. Там было крайне малолюдно и слишком темно, но девочкам, похоже, это нравилось: я насчитала на низких диванах шесть откровенно спящих красавиц, и еще три клевали носами над кофейными чашками.

Буфетчица, сама похожая на ночную бабочку пенсионного возраста (типа дряхлая моль), при виде нас с Катей молча сделала два кофе и выставила чашки на стойку. Я разжала кулак, намереваясь заплатить за угощение, но Катерина со смешком сказала:

— Спрячь деньги, фирма платит за все.

А буфетчица окинула меня ревнивым взглядом и спросила:

— Опять новенькая?

— Новенькая-готовенькая, — небрежно отговорилась Катя, забирая со стойки наши чашки.

Мы сели за пустой столик в самом темном углу, подальше от любопытной буфетчицы и равнодушно посапывающих девочек.

Полагая, что мы с ней коллеги, ночная бабочка Катерина не пыталась скрывать неприглядную изнанку своих ярких крылышек и пускать мне пыльцу в глаза. Честно, откровенно, в доходчивой форме милого девичьего трепа она поведала мне о своей судьбе, нить которой вот уже полгода была вплетена в паучью сеть, раскинутую на просторах курорта Папой, Мамой и Дядей. Этими милыми прозвищами причастные к процессу девочки и мальчики наградили местных заправил секс-индустрии. Настоящих их имен я не узнала, но получила некоторое представление об особенностях управленческого стиля каждого из грешной троицы.

Папа — бывший профсоюзный деятель — правил подданными бестрепетно и жестко, но при этом любил поиграть в демократию и с пошлым юморком называл поборы, взимаемые с бойцов сексуального фронта, членскими взносами. Мама в советский период была директором валютного магазина «Березка», в перестройку держала нелегальный обменник, а на заре нового времени под прикрытием Дома мод импортировала за рубеж манекенщиц легкого поведения. Став бандершей, она всего лишь несколько сузила сферу применения своего богатого опыта валютных товарно-денежных операций. Мамины девочки считались самыми лучшими, и попасть в их число моя собеседница полагала большой жизненной удачей. Что касается Дяди, то о нем Катерина сказала коротко:

— Дядя как дядя, работать можно.

И я не поняла, то ли она просто проявила лояльность к работодателю, то ли Дядя и впрямь был самых честных правил.

Еще я не вполне уяснила, как Папа, Мама и

Дядя поделили территорию: вроде отель «Перламутровый» был закреплен за нанимателем Катерины, но периодически там появлялись девочки других хозяев. Кажется, это не считалось грубым нарушением конвенции. А вот набеги на чужой прайд одиноких хищниц категорически не приветствовались. Против бесхозных профессионалок все три организации выступали единым фронтом.

— Так что мой тебе совет, милочка: соглашайся работать на Дядю, — сказала Катерина в завершении своей политинформации. — Мама тебя не возьмет, не такая уж ты красавица, а к Папе с его субботниками и постоянными нагрузками по линии профкома лучше не попадать. На себя тебе тут работать не дадут, так что подумай о своем будущем.

Я действительно задумалась, но не о перспективах трудоустройства, а о Раисе. Вот уж кого местные секс-воротилы, озабоченные охраной своих угодий, запросто могли посчитать одинокой разбойницей! Даже я в точности не знала, сколько мужиков Райка успела охватить своим деятельным вниманием за три дня нашего с ней пребывания в отеле. При развитой системе оповещения, которая явно существует в «Перламутровом», Папа, Мама и Дядя должны были очень скоро узнать о появлении сладострастной красотки, отбивающей хлеб у штатных постельных тружениц. И если я правильно поняла систему работы с «залетными», которую Дядин топ-менеджер Гена применил к ценному садо-мазо-лесбийскому кадру в моем лице, то неутомимую стахановку Раису обязательно должны были попытаться ангажировать для работы на постоянной основе. Могла ли она согласиться на такое предложение?

— Да запросто! — уверенно сказала Тяпа. — Особенно если у нее случились какие-то финансовые затруднения. Вспомните, ведь прилизанный каравайщик Коля сказал, что он дал Раисе пятьдесят баксов, и она их взяла!

Тут я почувствовала, что для продолжения умственной работы мне не хватает информации, и спросила:

— Кать, а какие-нибудь спецзадания с выездами и командировками у вас тут бывают?

— Я смотрю, ты твердо настроена делать карьеру! — одобрительно хмыкнула Катерина. — Конечно, бывают, как не бывать! Мамины девочки то и дело целыми бригадами в Турцию мотаются. У них это называется «вахта на юг». А наших, случается, Дядя сдает в долгосрочную аренду.

— Это как? — я заинтересовалась по-настоящему.

— Да очень просто! Бывает, понравится девочка клиенту, и он хочет продолжения банкета именно с ней. Нет проблем! Но у клиента могут быть дела в другом месте, он проведет в отеле ночь-другую и уедет, тогда девочка отправится вместе с ним, — Катерина оживилась, заиграла плечами. — Я вот зимой с одним нефтяником на две недели в Надым летала! Городишко жалкий, в гостинице клопы, холодина жуткая, но знала бы ты, какие деньги я на нем сделала!

— На нем или под ним? — невинным голосом уточнила ехидная Тяпа.

Пошлая шутка незлобивой Катерине понравилась. Она захохотала, разбудив сонных бабочек, и одобрительно похлопала меня по руке:

— Разбираешься, подруга!

Я дернулась, но не потому, что меня покоробила Катеринина фамильярность (если честно, я сама напросилась), просто обожженная кожа отозвалась на неосторожное прикосновение вспышкой боли.

— Что с рукой? — спросила Катерина. — Профессиональная травма?

Она снова захохотала.

— Ага, работала не покладая рук, — кивнула я, все глубже вживаясь в образ продажной женщины.

Я хотела, чтобы Катерина мне помогла, а для этого полезно было укрепить возникшее чувство товарищества.

— Если что, можно в медпункт сходить, — отсмеявшись, предложила добрая бабочка. — Тамошняя докторша, Ольга Пална, руку твою посмотрит. Это у нас тоже за счет заведения. У нас даже стоматолог появился, большой специалист, в заграничной клинике работал!

— Давай, Катя, мы с тобой лучше на ресепшен сходим, — предложила я. — Мне у портье кое-что узнать надо, но, боюсь, со мной он откровенничать не станет. А тебя-то, наверное, весь персонал отеля в лицо и по имени знает, ты же здесь давно работаешь...

— Дольше, чем многие из них, — кивнула польщенная Катерина. — Половину обслуги только на летний сезон набирают — с апреля по октябрь, а я тут круглый год пашу. Что тебе узнать-то надо?

Она уже поднялась и оглаживала свои велюровые бока, стирая с них невидимые пушинки. Я тоже не стала рассиживаться:

— Тут такое дело... Мне в номер — я в тыща пятьсот шестьдесят седьмом живу — один человек через портье письмо передал. Хочу узнать, как он выглядел и когда именно это было.

— Ты че, заказы в письменном виде принимаешь? Культурненько, — Катерина взглянула на меня с уважением. — Ну, пойдем на ресепшен. Помогу тебе, как старослужащий новобранцу! У нас тут, милочка, не армия, ни дедовщины, ни бабовщины нет.

— У вас дядевщина, — сострила я.

Собственная шутка показалась мне смешной, но Катерина на сей раз даже не улыбнулась, и я подумала, что ее рассказам о прекрасно организованной трудовой жизни Дядиных девочек не стоит верить на слово.

— Скажи еще, что ты должна проверить их на собственном опыте! — накинулась на меня праведница Нюня. — Боже, что происходит, куда мир катится! Куда ТЫ катишься, Таня?! Смотрите-ка, она уже готова завербоваться в проститутки!

— А ты, Нюнька, знаешь такое слово — «самопожертвование»? — отбрила неисправимая авантюристка Тяпа, готовая на все и всегда. — Танюха же не ради себя — ради близкого человека свою девичью честь нещадно марает! Как Сонечка Мармеладова в известном романе Федора Михайловича Достоевского!

Нюня столь ярким проявлением эрудиции впечатлилась и затихла, Тяпа тоже замолчала, но не пристыженно, а самодовольно. В наступившей тишине я услышала деловитый голос Катерины:

— Стой здесь, я сама их попытаю.

Она втянула живот, выпятила грудь и пошла, виляя бедрами, «пытать» портье. И, право, напрасно менеджер-сутенер Геннадий сетовал, что его кадры чужды садизма: уж не знаю, как именно пытала дежурного портье моя новая подруга, но информацию она добыла совершенно бесценную.

Оказывается, свое послание пьяная Райка в костюме Золотой рыбки царапала мне при физической и моральной поддержке холеного мужика в эсэсовской форме!

— М-да, на этот раз наша подруга совершенно точно связалась с неподходящим парнем! — досадливо сказала Тяпа. — Чего хорошего можно было ждать от интрижки с фашистом? Пожалуй, Райкиному скоропостижному исчезновению удивляться не стоит.

— Ты думаешь, он заточил ее в концлагерь?! — ахнула Нюня. — Да-да, ведь фашисты крайне дурно относились к евреям, а Раечка наша как раз приехала из Израиля!

— Насчет концлагеря я сомневаюсь — времена не те, — подумав, решила Тяпа. — Но он мог приковать бедняжку к ножке кровати — это в худшем случае. А в лучшем — вывезти Райку как знатный сексуальный трофей в свой фатерланд.

Обе версии заслуживали внимания, и первым делом надо было выяснить, не съехал ли из «Перламутрового» Райкин штандартенфюрер.

Я скоренько попрощалась с Катериной и побежала к лифту, чтобы вернуться на свой пятнадцатый этаж. Именно там, в непосредственной близости от нашего с Раисой номера, я видела мужчину в черной эсэсовской форме не далее как вчера. Наверняка это был тот самый эсэсовец! Предположить, что на территории курорта, не знавшего ужасов оккупации, спустя полвека после окончания Второй мировой войны может находиться не один странный тип, щеголяющий в столь зловещем костюмчике, мне было трудно.

Вчерашнее лифтовое катание, богатое переживаниями для меня и травмами для других его участников, научило осторожности. К лифту я продвигалась короткими перебежками с долгими остановками за колоннами. Избегая всяческого общества, три кабины я пропустила, а в четвертую юркнула только после того, как убедилась, что других желающих прокатиться не будет.

Дежурная по этажу при моем появлении сначала выскочила из своего окопчика, а потом упала в него, как подстреленная. Я заподозрила, что тетя Груша-1 не хочет меня видеть (с чего бы это?), но вынуждена была пойти наперекор ее желанию. Мне обязательно требовалось узнать, в каком номере проживает гадкий клоун, надевающий в качестве выходного платья эсэсовский мундир. Я спросила об этом дежурную, и с балкона, отдернув занавеску на открытой двери, высунулся заинтригованный необычным вопросом курильщик. Едва показавшись, он снова спрятался, но далеко не ушел — я видела темный силуэт за тюлевой занавеской. Еще бы: мексиканская оборванка, интересующаяся немецким офицером, — это была прелюбопытная история с географией!

— Ах, ничего я не знаю! — дежурная покосилась на дверь и попыталась от меня отмахнуться.

Я вынула из своего вспотевшего кулачка влажную сторублевку, и тогда тетя Груша заговорила по-другому:

— Не трудись напрасно, милочка, этот мужчина строгих правил, он всех ваших прогоняет.

— Какой у него номер? — проглотив оскорбление, повторила я основной вопрос.

— Шестьдесят девятый, — шепнула тетя Груша, вновь покосившись в сторону волнующейся занавески.

— Он сейчас там?

— Нет.

Давая понять, что количество слов, полагающееся мне на сто рублей, ею уже выдано, дежурная пала в окопчик и склонила голову над кроссвордом. Второй сторублевки у меня не было, а отдавать за минутный разговор пятисотку было жалко.

— Таких расценок нет даже в заграничных службах «Секс по телефону»! — поддержала меня Тяпа.

Я отклеилась от барьерчика и пошла к себе — в очередной раз переодеваться, подстерегать соседа-эсэсовца и думать, думать, думать...

Егор Ильич Колчин ковырял белужью икру с таким видом, словно рылся в навозе, крайне слабо надеясь найти белое жемчужное зерно.

На лице официанта, изваянием застывшего за спиной уважаемого гостя, отражалось растущее беспокойство. Он, в отличие от Егора Ильича, прекрасно знал, что деликатесная икра беспощадно переморожена, затем промыта и для пущего блеска и аромата приправлена селедочным маслом.

Рыбный ресторанчик «У Кости-моряка» считался заведением элитным, но не был свободен от неискоренимых пороков российского общепита. Настоящему знатоку недоброкачественный продукт «У Кости» не подали бы, но опытный метрдотель сортировал клиентов, как ОТК. Про безупречно одетого, обутого и надушенного Егора Ильича мэтр с уверенностью сказал: «Совок. Позолоченный, но совок». А совкам первосортная икра не полагалась. Однако теперь официант начал сомневаться в точности глазомера мэтра. Не хватало еще, чтобы недооцененный клиент отшвырнул вилку и устроил скандал!

Егор Ильич скривился и бросил вилку.

Официант приготовился лишиться чаевых.

— Базиль! — гаркнул клиент.

— Базилик, укропчик, петрушечка, реганчик, еще что изволите? — не дослышав, заюлил официант. — Мы сей же момент!

Если вопрос только в том, что капризному совку надо заесть икорку травкой, то это вообще не проблема! У шеф-повара на кухне гора всякой зелени, у администратора в офисе на подоконнике тьма декоративных растений в горшках. Да для скандального клиента не жаль даже фикус в холле обкарнать!

— Я тут! — распахивая дверь, гаркнул бодигард, оставленный у входа в приват-кабинет.

— И я! — осликом прокричал неназванный Алекс.

— Обои сюда! — рявкнул Егор Ильич.

Официант на бегу притормозил и шепотом спросил у Васьки:

— Какие обои?!

Обоев к столу в «Косте-моряке» не подавали

отродясь. Обоев на кухне у шефа вовсе не было. Разве что в офисе...

Официант сменил курс и порысил к администратору.

— Нашли? — мрачно глядя на икорную горку, напоминающую разворошенный копателями курган, спросил Егор Ильич.

— Ищем, шеф! — за двоих ответил Васька.

— Готовы доложить о промежуточных результатах! — добавил Алекс.

— Ну, так докладайте!

Услышав это корявое «докладайте», референт с трудом удержался от гримасы. Деньги и высокое положение не сделали из Егора Ильича интеллигентного человека. Он по-прежнему говорил «ихние» вместо «их», «помочь» вместо «помощь» и «обои» вместо «оба», путал глаголы «положить» и «класть» и неверно ставил ударение в словах «звонить», «шофер» и «детям». Порой Алекс искренне сожалел о том, что законотворчество — процесс коллективный. Было бы интересно почитать закон, написанный лично депутом Колчиным. Какое-нибудь «Постановление о выдаче помочи ихним дитям».

— Докладываю, — кивнул Васька, по простоте душевной ничуть не смущающийся хозяйским словотворчеством. — Наша девка, которая с яхты уплыла, пять дней назад поселилась в отеле «Перламутровый», номер одна тыща пятьсот шестьдесят семь, вместе с другой девкой. Наша зарегистрировалась по паспорту Раисы Марковны Лебзон, гражданки Израиля...

— Однако! — Егор Ильич вздрогнул и вскинул

глаза на докладчика. — Это что же получается — неужели МОССАД?!

— Вполне возможно, — значительно кивнул Алекс. — Девка ох непростая! Я расскажу, что узнал...

— Мы с Лешкой разделились, он одной девкой занимался, а я другой, — поторопился объяснить Васька.

Он ревновал хозяина, как верный пес.

— Так вот, я выяснил, что эта штучка работала под прикрытием, — веско молвил Алекс в стилистике брутальных детективов, которые он любил почитывать на сон грядущий. — И прикрытие у нее было просто замечательное — гостиничная проститутка! Отличный вариант для того, чтобы беспрепятственно перемещаться по отелю и посещать кого угодно в любое время суток!

— Значит, достоверно установить, с кем она контачила по своим шпионским делам, а с кем баловалась для конспирации, не удастся, — грамотно рассудил Васька, который не читал детективов, зато смотрел боевики.

Егор Ильич снова дернулся. Он пожевал губами и, видимо, проглотив при этом невкусное замечание по существу дела, после паузы потребовал уточнения формулировки:

— Ты сказал — «была проституткой»?

— Была! — подтвердил Алекс, даже не пытаясь скрыть удовольствия по этому поводу. — Она утонула.

Егор Ильич неуверенно улыбнулся.

— Не доплыла, гадина?! — обрадованный Васька хлопнул себя по бокам, как пингвин. — Я же говорил — вода слишком холодная, а ты — «морские кошечки, морские кошечки»!

— Дело в том, что наша «кошечка» утонула не в открытом море, а в пятидесятиметровом бассейне с подогревом, — возразил Алекс. — И при весьма подозрительных обстоятельствах! Голое мертвое тело с изуродованным лицом было найдено в сливной трубе центрального бассейна аквапарка наутро после ночи, которую Раиса Лебзон провела на «Сигейте».

— Похоже, ее убрали: — Егор Ильич тоже не избежал влияния голливудского кино. — Выкрав мои бумаги, девка выполнила свое задание, и тот, кто стоит за этой операцией, велел ее устранить. М-да...

— А теперь я! Я про другую девку расскажу, можно? — Васька рискнул заполнить долгую паузу. — Ее зовут Татьяна Ивановна Иванова, прописана она в краевом центре, служит мелким клерком в администрации, живет с родителями.

— Кто такие? — вяло поинтересовался Егор Ильич.

— Да ничего особенного, семья как семья. Там только дедушка фигура — он тоже в Думе, как и вы. Депутат Иванов, знаете такого?

— Депутат?! — понурый шеф вмиг распрямился, как пружинка.

Умный Алекс тоже сделал стойку. Он знал, какие бумаги пропали у шефа: банковские документы, уличающие Колчина в том, что он не просто так продвигает одно немаловажное постановление по части развития топливно-энергетического комплекса страны. Пути и методы развития, обрисованные в постановлении, нравились далеко не всем нефтегазовым баронам. Один олигарх Ефимченков, оказавшийся в числе обиженных, был способен на многое! Да и среди коллег Колчина по депутатскому корпусу имелось немало таких, кто дорого дал бы за возможность прищучить Егора Ильича, аргументированно обвинив его в коррупции и лоббировании антинародных интересов.

Официант с полным подносом разнообразной зелени прибежал, когда Колчин встал со стула, сорвал с себя салфетку и отбросил ее в сторону, словно это был не невинный квадрат крахмальной бязи, а гигантская кровососущая пиявка.

— Пожалуйста, не уходите! — взмолился официант, поспешно опуская на стол фантазийное вегетарианское блюдо «Мечта голодного кролика».

— Я еду в Москву! — даже не взглянув на богатые растительные корма, объявил Егор Ильич и вышел из кабинета в сопровождении верноподданных Васьки и Лешки.

— Благодарствую! — поклонился официант, на лету поймав брошенные деньги.

Он как раз убирал их в карман долгополого фартука, когда появился встревоженный метрдотель.

— Уважаемому клиенту не понравилось наше обслуживание? — сурово хмурясь, спросил он с прозрачным намеком.

— К обслуживанию претензий не было! — погладив карман, сказал повеселевший официант. — Вы лучше с меню разберитесь. Клиент хотел обои, а у нас их вовсе нету. Вот, поехал в ресторан «Москва»!

Я опасалась пропустить возвращение в номер эсэсовца, но не хотела торчать в прихожей, подглядывая в щелочку приоткрытой двери. Мало ли какие нехорошие люди будут слоняться по этажу! Глядишь, еще кто-нибудь захочет вломиться в номер к бедной одинокой девушке. Этот отель — чертовски беспокойное место!

— Надо соорудить сигнальную систему, — предложила изобретательная Тяпа. — Сделать что-нибудь такое, чтобы сосед открыл свою дверь — и тут трах-бабах!

— Помните французскую комедию «Игрушка»? — застенчиво сказала Нюня. — Там мальчик пристроил на дверь тазик с краской, он упал Пьеру Ришару на голову, и Пьер Ришар очень громко ругался.

Я заглянула в душевую. Никаких тазиков там не было.

— Можем вместо тазика фаянсовый умывальник пристроить! — разошлась Тяпа. — Или вообще унитаз! Вот уж бабахнет! Не по-детски.

Я представила, как на высоте пятнадцатого этажа крадусь по балконным перилам в обнимку с унитазом, и нервно хихикнула. Это вам уже не банальное привидение с моторчиком — это привидение с сортирчиком!

— Или вот еще можно мышеловку где-нибудь найти, — не унималась Нюня. — Помните мультик «Том и Джерри»? Когда коту прищемило хвост, он та-ак орал!

Я покачала головой: организовать трюк с мышеловкой еще сложнее, чем с тазиком, — отсутствующую мышеловку и вовсе нечем было заменить.

— Тогда можно попробовать подвести к дверной ручке электрический ток! — не унималась Нюня. — Как в фильме «Один дома»! Или насыпать за дверью маленьких машинок, которые здорово выскакивают из-под ног, как в «Один дома-2»!

— Я, Тань, не понимаю, почему дедуля запрещал тебе смотреть боевики и ужастики? — удивилась Тяпа. — Эти добрые комедии и милые мультики — настоящая энциклопедия юного садиста!

— Тогда сами придумывайте, — обиделась Нюня.

Я обвела комнату внимательным взглядом, увидела на тумбочке пачку жевательной резинки и придумала.

— Гениально! — похвалила меня Тяпа.

Я промолчала — рот был уже занят.

Если вы никогда не пробовали употребить десять подушечек экстрасильной жвачки за один раз, как-нибудь рискните здоровьем и подарите себе незабываемое впечатление. Не знаю в точности, что чувствует газонокосилка, под корень уничтожившая плантацию дикой мяты, но у меня от невиданной свежести замерзли слезы на глазах!

Зато получившегося комка пластичной резиновой массы как раз хватило, чтобы герметично закупорить в соседской двери щель для ключа-карты.

— Герру офицеру придется изрядно повозиться, чтобы открыть свою дверь! — загодя позлорадствовала Тяпа. — Нюнька, береги ушки: штандартенфюрер будет шпрехать матом!

— А если у него спокойный, нордический характер? — усомнилась Нюня.

На случай, если легендарное тевтонское хладнокровие не позволит соседу ругаться так громко, как это сделали бы на его месте мы с Тяпой, я притащила в прихожую пуфик и устроилась поближе к двери.

Сидеть просто так, ничего не делая, было скучно. Я взяла телефон и прилагающуюся к нему распечатку номеров, которые, по версии администрации отеля, могли понадобиться постояльцу в первую очередь. Морга среди них не было, и я узнала его телефончик через справочную. Побеседовав с поразительно жизнерадостным служителем морга, я выяснила, что покойница с приметами моей подруги Раисы у них только одна — та самая, которую извлекли из бассейна аквапарка. Поскольку ранее я уже твердо решила считать эту несчастную утопленницу совершенно посторонней мне гражданкой, я дополнительно приободрилась и последовательно обзвонила городские больницы. Их было всего три, и ни одна не числила среди своих пациентов Раису Марковну Лебзон. Однако в третьей по счету больнице нервозный женский голос не просто ответил мне: «Такой нет», а выдал развернутую фразу:

— Сказано же — нет у нас такой!

— Кому сказано? — моментально насторожилась я.

— Девушка, откуда я знаю, кто звонил! Мужа своего спросите, или брата, или свата...

Стало ясно, что с вопросом про Райку меня опередил какой-то мужчина. Узнать подробности мне не удалось, потому что сердитая больничная дежурная бросила трубку. Однако работу мысли случайно установленный факт породил нешуточную.

— Итак, что нам известно? — Тяпа взялась систематизировать информацию. — Невидимка спрашивал Золотую рыбку — это раз. Какой-то мужик ищет Райку по больницам — это два. Райка — красивая брюнетка с силиконовым бюстом — это три. Какая-то красивая брюнетка с силиконовым бюстом утонула в бассейне — это четыре. Незадолго до смерти погибшая брюнетка была в соседнем номере и потеряла там браслет. В соседнем номере живет оригинал, наряжающийся эсэсовцем. С эсэсовцем ночью видели Райку, одетую Золотой рыбкой. И той же ночью Райка пропала, а другая брюнетка погибла... Ну, какие есть соображения?

— У меня их два! — вечная отличница Нюнечка выскочила вперед. — Первое: не исключено, что невидимка и мужик, звонивший в больницу, это одно и то же лицо.

— Одна вражья морда, — поправила злопамятная Тяпа.

— Пусть будет морда, это не суть важно, — согласилась Нюня. — Второе: есть ощущение, что вражья сила или силы перепутали брюнеток. Из чего следует, что в дурную историю могла вляпаться брюнетка с кораллами, а под раздачу вместе с ней безвинно попала наша Раиса!

— В таком случае, чтобы распутать этот клубочек, нужно сначала разобраться с погибшей брюнеткой, — решила я. — А вот Раису разыскивать надо очень аккуратно — чтобы не навести на след подозрительного мужика и Невидимку. Не думаю, что они ищут ее с благими намерениями. От Невидимки точно ничего хорошего ждать не приходится. Да и мужик, который звонил в больницу, вряд ли имел своей целью адресное оказание гуманитарной помощи.

— Это значит, что искать Раису с собаками и громким ауканьем не стоит? — вздохнула Нюня. — Очень жаль! Трое суток уже прошло, милиция как раз приняла бы заявление... Вот тут и телефончик местного отделения, кстати, указан.

— Кстати, о телефончиках!

Я вдруг сообразила, что не прибрала к рукам такую перспективную ниточку, как телефонная связь. Мобильник, который Райка не взяла с собой в казино, потому что на ее золотом платье не было никаких карманов, так и остался в ее розовой сумке, а сумка — вот она, на тумбочке лежит, как поросенок на блюде! Так не посмотреть ли мне, кто звонил Раисе или кому она звонила незадолго до своего исчезновения?

Желание проверить входящие и исходящие звонки подружки в сложившейся ситуации нельзя было считать неприличным и бестактным, с этим даже моралистка Нюня согласилась без оговорок. Я безжалостно выпотрошила сумчатого поросенка, раскопала в куче мелкого дамского барахла соговый телефон и с огорчением обнаружила, что аппарат разряжен насмерть. К счастью, эту беду при наличии зарядного устройства поправить было легко. Я состыковала мертвый мобильник с электрической кормушкой и с нетерпением стала ждать его воскрешения.

И едва не упустила эсэсовца!

— Дум! — донеслось из коридора. — Дум, дум!

Содрогания соседской двери отдавались в стену.

У меня задрожало зеркало в прихожей, а вешалка затрясла рогами, как сердитый олень.

— О, майн гот, только не сейчас! — взмолился мужской голос.

Мимо моей двери торопливо протопали подкованные сапоги.

— Не упусти его! — пришпорила меня Тяпа.

Я с сожалением посмотрела на Райкин обморочный мобильник и отказалась от мысли бросить его в свою сумочку.

— Живее, живее! — торопили меня Тяпа и Нюня.

Я вбила ноги в кроссовки, машинально посмотрелась в зеркало, увидела там нечто красно-бело-синее, как государственный флаг, и с трудом удержалась от салюта.

— Со-юз не-руши-мый! — басовито напела Нюня подходящую патриотическую строчку.

— Раисы и Тани! — Тяпа живенько обновила текст незабываемого гимна.

И со словами:

— Сплотила навеки великая Русь! — я вышла из номера, захлопнула дверь и заторопилась вслед за мужской фигурой в форме немецко-фашистского захватчика.

Эсэсовец сел в такси, и я сделала то же самое, предупредив водителя, чтобы он держался на некотором расстоянии от преследуемой машины, но ни в коем случае не упустил ее. Судя по выражению лица таксиста, он не прочь был разузнать о моих планах побольше, но я не собиралась трепаться, поэтому пресекла неуместное любопытство небольшим, но эффектным представлением. Сначала я поднесла к губам запястье и, сосредоточенно глядя на капот предыдущего такси, с напором проговорила в циферблат наручных часов:

— Первый, Первый, я — Второй! Вижу цель!

Потом приложила часики к уху, послушала бодрое тиканье, кивнула, произнесла в циферблат:

— Вас поняла. Свидетелей убирать? — и вновь прилепила часы к уху, косясь на водителя.

Он тут же сделал мину, которой было самое место на картинке в сборнике русских пословиц рядом с выражением «Моя хата с краю, ничего не знаю!». Последующие двадцать минут нашей поездки в салоне автомобиля царило молчание — нерушимое, как союз свободных республик.

За это время мы выехали за город. Справа по борту виднелось море, до половины загороженное сплошной разновысокой стеной объектов курортно-туристического назначения. Слева потянулся неухоженный субтропический лес. Эсэсовец остановил машину напротив вывески мини-гостиницы с заманчивым названием «Мечта», но в калитку с зазывной табличкой «Есть свободные места с элементами комфорта!» не вошел, а пересек шоссе и двинулся в лес. Я расплатилась со своим приятно неразговорчивым водителем и тоже вышла из машины, напоследок подбодрив таксиста словами:

— Родина вас не забудет!

Судя по скорости, с какой покинутый мною автомобиль совершил разворот прямо посреди трассы и умчался назад в город, водитель предпочел бы не вечную память, а полное забвение своего маленького подвига во имя нашей с ним общей родины.

Тем временем иноземный враг, безжалостно попирая сапогами сухие рыжие заросли прошлогодних сорняков, внедрился в лес. Разумеется, я пошла за ним, неукоснительно соблюдая приемы конспирации и маскировки на местности, известные по детективным книжкам и шпионским фильмам. Объект ничего не заподозрил и ни разу не оглянулся. Этот успех дался мне с немалым количеством свежих царапин, которые обогатили и без того яркую расцветку моих рук и ног причудливыми алыми линиями. Еще я рассадила щеку о шершавую кору пицундской сосны, к стволу которой в конспиративном порыве прильнула слишком страстно.

Следуя тернистым путем сквозь ежевику и спотыкаясь о коварно затаившиеся в прелой листве коряги, я прошла через лес и оказалась на краю большущей поляны. Ее центральная часть была вспучена курганом, на вершине которого виднелись какие-то сооружения, в архитектурном смысле совершенно бездарные. А прямо передо мной протянулся довольно глубокий окоп, и эсэсовец уже бежал по нему, пригибаясь и придерживая на голове фуражку.

Я проследила за извилистой линией окопа и увидела, что ведет он в подобие шалаша из перепутанных веток, густо присыпанных землей и бурой листвой.

— Да тут все серьезно! — неприятно удивилась Тяпа. — Ну, и кто мне говорил, что фашистский концлагерь для сексуальных пленниц — это нереально?

— Думаете, Раечку держат там? — Нюня, оценив качество землянки, едва не расплакалась.

С первого взгляда на сараюшку было ясно, что тамошние места свободны даже от элементов комфорта.

Я представила себе мою подругу — как она лежит на холодном земляном полу, одетая в лохмотья, не спадающие с ее измученного тела, главным образом, благодаря бесчисленным виткам суровой веревки. «Гутен таг, майн либер фрейлейн!» — с издевкой говорит полумертвой пленнице холеный эсэсовец, похлопывая хлыстом по голенищу сверкающего сапога.

— Разве у него есть хлыст? — некстати спросила Тяпа. — Я видела только пистолетную кобуру.

— Интересно, есть ли в ней пистолет? — поежилась Нюня.

В этот момент громыхнул выстрел, потом другой, третий. Определенно, пистолет где-то был, и даже не один.

— Да тут полно фрицев! — ахнула Тяпа. — Бедная Райка, каково же ей пришлось!

Я не стала вдаваться в подробности Тяпиной версии Райкиного существования в землянке, потому что это могло меня сильно расстроить, а я не хотела расстраиваться — не время было предаваться скорби и печали. Я чувствовала, что для спасения подруги мне понадобятся все мои душевные силы. А когда я подобралась к вражескому шалашу поближе и разглядела ветку, которая выполняла функции несущей балки, то поняла, что и физические силы мне потребуются в самом полном объеме.

Наплевав на чистоту одежды, я легла на живот и поползла к землянке.

Девицу Егор Ильич заметил не потому, что она была дивно хороша. Наоборот! Единственным, что выделяло ее среди других, был цвет ее кожи — красный, как знамя партии большевиков. По молодости политически грамотный, как Мальчиш-Кибальчиш, Егор Ильич демонстрировал к пролетарскому кумачу пламенную любовь, но с годами радикально поменял убеждения и примкнул к буржуинам. Это, впрочем, не мешало ему показательно печься о родной стране. Девица же выглядела как ходячая реклама символа российской государственности: красная-прекрасная, в синих джинсах и белой футболке — настоящий триколор!

Заметив, что Егор Ильич провожает глазами некий объект за бортом автомобиля, бдительный бодигард проследил направление взгляда шефа и тоже увидел колоритную красно-бело-синюю особу. Она как раз свернула с обочины шоссе и направилась по тропинке в лес, то и дело приседая, словно по нужде, и вновь выглядывая из бурьяна, как змея из молодой ржи.

— Вот гадюка! — не удержался от восклицания Васька. — Эй, как тебя, земляк, останови машину!

Водитель послушно затормозил.

— Укачало, Вась? — ехидно спросил Алекс.

— Шеф, это она! — не ответив референту, Васька кивнул в сторону окна. — Татьяна Иванова, депутатская внучка!

— Да что ты?! — Колчин воззрился на девицу с удвоенным интересом. — Значит, дедушкина внучка. Пошла в лес по грибы, по ягоды... Базиль?

— Я прослежу, — кивнул Васька, открывая дверцу.

Он и сам понимал, что для грибов и ягод совсем не сезон, так что в лес краснокожая дедушкина внучка пошла с какой-то другой целью. Может, конечно, за хворостом или за подснежниками, а может — по нужде, но это вряд ли. Будучи человеком подневольным, далеко не всегда имеющим возможность распоряжаться своим временем даже в таких делах, как отправление естественных надобностей, Базиль прекрасно знал, как ведут себя люди, которым приспичило. Они не прилипают к деревьям, как жвачка к карандашу, не засматриваются вперед сквозь редкую веточку и уж если рушатся задом в подлесок, то не на одну секундочку — разве что случайно присядут на муравьиную кучу...

По всему было похоже, что подозрительная внучка крадется на секретную встречу.

— Егор Ильич, мы же опаздываем на самолет! — забеспокоился Алекс.

Подобравшийся Васька сузившимися глазами взглянул на наручные часы и твердо сказал:

— Если я не вернусь через пять минут, гоните в аэропорт, а я тут уж как-нибудь сам.

Он сверху вниз посмотрел на свою грудь, обтянутую предательским белым трикотажем, досадливо цокнул языком и повернулся к Алексу:

— Живо, дай мне свою рубашку!

— Тебе она будет мала.

— Дай! — коротко гавкнул Егор Ильич.

Его референт неохотно расстегнул пуговки с оттиском «Маркс энд Спенсер» и отдал свою новую дорогую сорочку Ваське, получив взамен несоразмерно большую для него плебейскую рубашку-поло.

В светло-зеленой сорочке, застегнутой по центру на две пуговицы, здоровяк Васька походил на могучую галапагосскую черепаху, втиснутую в десертную тарелочку панциря своего аквариумного сородича. Он поднял воротник повыше, спустил с макушки на нос солнцезащитные очки, героически молвил:

— Ну, я пошел! — и в замедленном черепашьем темпе двинулся по тропинке в лес, втянув маленькую голову в большие плечи и поминутно трамбуя задом воображаемые муравейники.

7 – 9769

Лева Королев продирался сквозь кусты с самозабвенным треском — как молодой нетерпеливый лось к своей возлюбленной. При этом, в отличие от лося, который наверняка посылал бы самке трубные призывы к сближению, Лева, наоборот, отправлял одну особу женского пола куда подальше. К чертовой бабушке и по другим еще менее заманчивым адресам Лева посылал дяди-Петину супругу тетю Аню с ее проклятым супчиком. Это было нелогично: тетя Аня находилась далеко и ругани не слышала, а ее проклятый супчик в термосе протестующе булькал в кармане Левиной ветровки.

Нынче утром тетю Аню накрыл приступ великодушия.

— Как там наша девочка на больничных кормах? — едва не всплакнув, вдруг спросила она за завтраком. — Надо бы ей супчика сварить. Отнесешь в больничку, Левушка?

— Отнесу, — согласился пристыженный Лева.

Наверное, ему следовало дежурить в коридоре у палаты, где в горячечном бреду хрипела и кашляла прелестная незнакомка, занесенная в больничные скрижали под именем Анны Васильевны Королевой. Или хотя бы навещать больную с гостинцами.

— Раз уж у нас с ней одна фамилия, мы почти родственники! — сказал он Бубе, объясняя свой благородный порыв.

И вот супруга дяди Пети, у которой с бедной больной были также общие имя, отчество и паспорт, затеялась варить куриный супчик. Лева, питающийся благотворительными супами быстрого приготовления с супермаркетовских рекламных раздач, даже не подозревал о том, какой это эпический процесс — приготовление настоящего куриного супчика. Оказывается, для него совершенно необходима курица, причем домашняя, причем свежая, причем молодая, причем именно курочка, а не петушок!

На рынок за курицей, получив на руки выписку с основными характеристиками нужной птицы, добровольцем отправился дядя Петя. С имеющимися в продаже экземплярами он знакомился со всей возможной основательностью и убил на птичью охоту почти три часа. Затем за дело взялась тетя Аня. Она оккупировала плиту и два часа с великим пристрастием варила бульон, неотрывно следя за кастрюлей, содержимое которой должно было подспудно кипеть, но не бурлить. Сунувшись в кухню, чтобы поторопить стряпуху, Лева получил по лбу ложкой в серой пене. Это было тем более обидно потому, что есть волшебный супчик Лева не собирался.

После полудня он планировал пообедать на Вороньей сопке, вблизи которой в честь приближающегося праздника Победы в Великой Отечественной войне затейники из клуба «Живое прошлое» разыгрывали сражение «наших» с «фашиками» за стратегически важную высотку. Обе воюющие стороны представляли фанатичные любители истории, облаченные в соответствующие костюмы. Ожидалось прибытие двух танков от «Мосфильма» и действующей военно-полевой кухни от Северо-Кавказского военного округа. Неизбежная победа «наших» должна была ознаменоваться праздничным обедом для всех участников и гостей мероприятия. Лева предвкушал солдатский кулеш с тушенкой, чай с дымком и ржаные сухари. Доступ к фуршету в стиле «милитари» был свободным, что и определяло присутствие на военизированном празднике самого Левы.

Дополнительным стимулом к посещению шоу стал немалый гонорар, обещанный редакцией газеты «Память» автору, который представит в ближайший номер издания большой репортаж с подробным описанием всех боевых действий в хронологическом порядке. Наряду с Королевым на эту работу претендовал бесталанный, но ушлый писака Антон Рыбкин из «Курортных новостей». Коллегу Рыбкина Королев искренне не любил и уступать ему гонорар не собирался. Таким образом, опаздывать к началу сражения было никак нельзя, а он опоздал — спасибо тете Ане и ее проклятому супчику! Свою лепту в общее черное дело внес и фуникулер, на котором Лева должен был подняться на смотровую площадку, откуда с удобством наблюдали за театром военных действий приглашенные гости. Подъемник крайне некстати забарахлил и взял тайм-аут для ремонтно-восстановительных работ. Королеву пришлось идти на арену сражений своим ходом, напрямик через лес, и это его, конечно, сильно задержало.

Характерные звуки начавшегося боя Лева услышал раньше, чем увидел Воронью сопку. За деревьями затрещали винтовочные выстрелы и послышались крики — кажется, на немецком. Видимо, он зашел в тыл к врагу. Торопясь увидеть побольше, Лева ускорил шаг, выскочил на опушку, громко выматерился и упал плашмя, пропуская над головой автоматную очередь.

— Партизанен! — без счета расходуя патроны,

азартно проорал какой-то жлоб в низко надвинутой полуведерной каске.

Лева прошуршал по листве, как полоз, и по синусоиде ушел в орешник. Там уже залегла какая-то румяная деваха самого боевого вида — с листьями в разлохмаченной прическе и ссадиной на щеке.

— Партизаните? — по-товарищески улыбнулся ей Королев.

— Щас как дам больно! — пообещала деваха, замахиваясь корягой.

«А хорошо играют, стервецы! — восхитился непрофессиональными актерами из «Живого прошлого» впечатлительный Лева. — С душой!»

И, чтобы подыграть самодеятельной артистке, сказал:

— Спокойно, я свой! Подкрепление по партизанскому обмену из Беловежской Пущи! Поступаю в ваше распоряжение. Как воевать будем?

— Молча! — рявкнула партизанка, показав белорусскому товарищу небольшой, но крепкий красный кулачок, запятнанный грязью и кровью.

Судя по цвету кожи, боевая подруга тоже была не местная — не иначе как из Латинской Америки. По партизанскому обмену из отряда Че Гевары.

«Ну и пусть Рыбкин свою скучную официальную хронику пишет! — с растущим весельем подумал Королев. — А я покажу события из самого их сердца, из гущи международных партизанских масс! Еще посмотрим, чей репортаж будет лучше!»

— Хочешь помочь? — партизанка-мексиканка, смерив Леву оценивающим взглядом, сменила гнев на милость. — Ну, ладно. Видишь вон ту землянку?

— Вижу, — коротко кивнул Королев.

— Больше не увидишь! — пообещала полномочная представительница во всех смыслах Красной армии. — Хватайся за эту дубинку. Тянем-потянем!

— И вот я как сейчас помню: сидим мы с рядовым Кокорейкиным на пустых снарядных ящиках и думаем — пришел наш последний час или еще не пришел? — скрипучим голосом, без пауз вещал уважаемый пенсионер и ветеран Иван Иванович Скориков, поблескивая из глубины коричневых морщин прозрачными близорукими глазами.

Сухая пятнистая рука ветерана битвы при Вороньей сопке лежала на рукаве Антона Рыбкина и часто вздрагивала, мешая журналисту записывать познавательный рассказ.

— Вот был денек! — размеренно скрипел дедушка Скориков, по доброте душевной изо всех сил помогая военкору Рыбкину ориентироваться в происходящем. — Сквозь дым летучий фашисты ринулись, как тучи! И все на наш окоп.

«Где-то я это уже слышал?» — подумал Рыбкин, с сомнением покосившись на свидетеля исторических событий.

Славному дедушке Скорикову вот-вот должно было стукнуть девяносто лет. Полной уверенности в крепости памяти уважаемого старца у Рыбкина не было, но выбирать не приходилось — других свидетелей исторического сражения в живых не осталось. Кроме дедушки Скорикова, занимающего почетное место в первом ряду, историческую реконструкцию с интересом наблюдали мирные пенсионеры, школьники, любознательные туристы и теоретики из клуба «Живое прошлое». Режиссер Голипольский, по случаю большого исторического праздника принаряженный генералиссимусом, принимал поздравления от представителя краевого департамента культуры.

— Иван Иваныч, а это кто там? — перебив малоинформативный рассказ о философских раздумьях рядовых Скорикова и Кокорейкина на пустых снарядных ящиках, спросил Антон Рыбкин.

Славный дед с готовностью посмотрел в театральный бинокль и охотно объяснил:

— А это, внучек, войска СС. Видишь, какой у супостатов значок приметный — на левом рукаве орел с длинными перьями?

— Всем чинам войск СС на верх левого рукава на уровне клапана нагрудного кармана полагался стилизованный имперский орел с размахом крыльев около 90 миллиметров! — с готовностью включился в беседу главный костюмер исторического клуба.

Рыбкин ценную информацию старательно записал и стал спрашивать дальше:

— Это вот сейчас что происходит? Это враг пошел в атаку?

— Сражались мы на этих берегах! — Подтвердил Иван Иванович. — В атаку шли дивизии врага!

Антон посмотрел в бинокль, и перед его окулярами действительно промелькнул какой-то хвост. Поискав биноклем, он увидел незатейливую девичью прическу, а затем и саму девушку, вернее, ее верхнюю половину — нижняя пряталась в кустах. Сверху на хвостатой девушке было что-то белое, но уже несвежее, в пятнах грязи и раздавленной листвы.

— А медсестрички у вас тут были? — отклеившись от бинокля, спросил Рыбкин дедушку Скорикова.

— Ой, были! — мечтательно зажмурился заслуженный старикан. — Вот как сейчас помню: лежу я в окопе на пустых снарядных ящиках...

— Ду-дух! — страшно бахнуло у подножия горы.

На поляну, кромсая гусеницами первую весеннюю травку, грузно выкатился краснозвездный танк.

— Ур-ра! — надтреснутым голосом закричал дедушка Скориков.

Он приветственно помахал бронемашине, живо обернулся к Рыбкину и, не дожидаясь вопроса, объяснил:

— А это, внучек, начало нашего победного контрнаступления! Вишь — стальная конница пошла? Броня крепка, и танки наши быстры!

— А партизаны, партизаны тут были? — заволновался Антон, в районе немецкой линии обороны поймав в бинокль мускулистую мужскую спину в неуставной клетчатой ветровке.

Клетчатый могучими рывками ворочал корягу в перекрытии фашистского дзота, наскоро слепленного бутафорами-декораторами из непрочных подручных материалов. Вражеское укрепление разваливалось, как карточный домик, грозя придавить какого-то детину в бледно-зеленом. Этот боец с непонятной целью притаился под стеной древесно-земляного дзота — возможно, изображал вражеского солдата, деморализованного победным наступлением «наших» вплоть до полной готовности к позорному бегству с поля боя.

— Иван Иванович, а светлое хаки — это чья

форма была? — с интересом рассматривая комическую фигуру дезертира, уточнил Антон у ветерана.

— Со времени организации рейхсвера в одна тысяча девятнадцатом году униформа военнослужащих стала одинаковой для всех германских государств, — сверкнул эрудицией главный костюмер. — Цвет для нее выбрали «фельдграу» — полынного оттенка с преобладанием зеленого пигмента.

— И кто же это такой? — Рыбкин все смотрел на неопознанного дезертира.

— Дайте-ка, я взгляну! — специалист по костюмам бесцеремонно забрал у него бинокль. — Так, цвет рубашки «полынный серый», погоны чистые, без нашивок — рядовой!

Рядовой эсэсовец, сидя под стеночкой, озирался по сторонам с выражением комического недоумения на лице. Забрав у консультанта бинокль, Рыбкин снова полюбовался выразительной фигурой позорящего весь немецкий рейх рядового и испытал законное чувство гордости за мужественных «наших», ни один из которых с поля боя не драпал.

Тем временем за первым танком лихо выкатился второй. Имитируя артиллеристскую пальбу, загремели петарды, во множестве заложенные на поляне. Зрители восторженно зашумели. Басовито рявкнул вновь прибывший танк. Его холостой выстрел очень удачно совпал с развалом фашистского дзота, который вручную сумел организовать неленивый клетчатый партизан.

— Прекрасная, прекрасная режиссура! — под аплодисменты одобрительно загомонили в рядах знатоков и ценителей. — Как точно выверен хронометраж всех действий!

— И какой интересный сценарий!

На глазах у Антона, вооруженного оптическим прибором, коряги и хворост лавиной сошли на дезертира в слишком тесном для него светлом «полынном сером». Оказавшись под завалом, комический персонаж очень потешно подергал ногами и замер, вызвав одобрительный смех в рядах благодарных зрителей. Сценарий представленной исторической реконструкции в смысле ярких жанровых сценок и впрямь был необычайно богат!

Вновь загремели петарды, разбрасывая во все стороны комья земли и мелкие камни. Гравий с веселым стуком посыпался на железные каски вражеской солдатни. Получив камнем в лоб, упал как убитый щеголь в черной форме и красивой фуражке.

— А это кто? — полюбопытствовал Рыбкин.

— А это, внучек, штандартенфюрер СС, по-нашему — полковник! — важно покивал дедушка Скориков.

— Эх, «Мосфильм», «Мосфильм»! — с укором вздохнул главный костюмер. — Все-таки подсунули липу!

— Где липы? Я вижу только сосны, дубы и орешник, — дотошный Рыбкин внимательно присмотрелся к растительному фону представления.

— Липа — это черный эсэсовский мундир, — с досадой объяснил спец. — Долгие годы нашего отечественного телезрителя приучали к эсэсовцам в черных мундирах, игнорируя куда более распространенную серо-зеленую служебную форму. Ну кто бы в здравом уме и твердой памяти полез на передовую в приметном черном?!

Действительно, эсэсовский щеголь уже лежал без памяти, подтверждая здравую мысль о неуместности модных веяний на передовой и выделяясь на рыжем фоне окопной глины, как муха на тыкве. Самоотверженная девушка в грязном белом, пригибаясь, выскочила из кустов, схватила раненого артиста за воротник и уволокла в орешник.

— Технику безопасности, конечно, не вполне выдержали, — мягко укорил генералиссимуса Гопипольского культурный департаментский представитель. — Но что медицинский персонал наготове, это хорошо!

— Ну как тебе, внучек? А? Героическое полотно! — подпрыгивая на скамье, по-детски радовался дедушка Скориков. — И ведь все это не выдумка, а чистая историческая правда! И я как сейчас помню: поднимаемся мы с рядовым Кокорейкиным с пустых снарядных ящиков...

— Ну, что там? — нервно покачивая ногой в щегольском ботинке, в десятый раз спросил Егор Ильич своего референта.

— Старый хрен! — сквозь зубы прошептал Сеня Васильчук, старательно удерживая на лице широкую, как Масленица, улыбку.

Депутат Колчин, засевший на диване в ВИП-зале, как гвоздь в подошве, сбивал жесткий график приема и отправки высоких гостей.

— Как зовут этого старого хрена? — злобным шепотом спросил Сеня Колю из протокола.

— Егор Ильич, — тихо ответил тот, посмотрев в бумажку, где «старый хрен» фигурировал как депутат Государственной думы Российской Федерации Е.И. Колчин.

— Уважаемый Егор Ильич! — разведя руки ладонями вверх, широко улыбающийся Сеня плавно поплыл к дивану с застрявшим на нем депутатом. — Ваш билет уже оформлен, добро пожаловать на посадочку!

— Ничего! — продолжая невнятный разговор с шефом, Алекс тоже развел руками и образовал гармоничную пару с Сеней.

Казалось, в следующий момент они синхронно сделают «топ, топ, каблучок» и начнут выкамаривать задорную плясовую.

— Ты звонил? — игнорируя танцора Сеню, спросил Егор Ильич танцора Алекса.

— Он не берет.

— Так, — произнес Егор Ильич отрывисто и громко — словно забил гвоздь в подошву.

Одновременно он поднялся с кожаного дивана.

— Ну, слава богу! — прошептал Сеня, добавляя в улыбку неподдельной радости.

— Я лечу, ты остаешься! — сказал Колчин, проходя мимо застывшего, как статуя «Пляшущий мальчик», референта. — Разбирайся!

— Приятного вам полета, уважаемый Егор Ильич! — любезно напутствовал убывающего депутата Сеня Васильчук.

— Старый хрен, — сквозь зубы прошептал Алекс.

Его реплика не была выражением каких-то особых отрицательных эмоций — так, простая констатация факта. Старый склеротический хрен Егор Ильич велел своему умному референту задержаться и окончательно разобраться с делом, которое уже оставило депутата без глупого телохранителя.

Это вполне отвечало желаниям самого Алекса.

— Очнись, гад! Смотри на меня! Не смей отключаться!

Я замахнулась, чтобы влепить вражьей морде звонкую оплеуху, но парень в клетчатой куртке перехватил мою руку и мягко сказал:

— Он уже отключился, и основательно. По-моему, тут нужны более профессиональные действия. Я видел на проселке машину «Скорой помощи». По-моему, она дежурит тут как раз на такой случай.

— Так что же вы стоите? Зовите своих профессионалов! — раздраженно вскричала я.

И когда мой добровольный соратник унесся в кусты, все-таки отвесила обморочному эсэсовцу хлесткую пощечину. Это не привело в чувство его, но помогло выразить свои чувства мне. О, как я была зла! Даже не удержалась и потыкала в черный мундирный бок пистолетом, который выпал из разжавшейся руки эсэсовца. Он на это никак не отреагировал, и я спрятала оружие в поместительный карман своих спортивных штанов. Я не изучала военное дело, но разоружить врага казалось правильным ходом.

В землянке, которую добрый малый в клетчатой куртке под моим чутким руководством и при моей же моральной поддержке развалил самым милым образом — так, что ни одна деревяшка не упала внутрь, — Раисы не оказалось. Засевших там парней в немецкой форме наша диверсионная акция не сильно удивила. Только один «фриц» негромко ругнулся по-русски, помянув недобрым словом какого-то генералиссимуса Голипольского, не удосужившегося уведомить штатный состав об участии в реконструкции народного сопротивления. Мне все сказанное показалось полным бредом: из школьного курса истории я твердо помнила, что генералиссимус имелся только в Советской армии, фамилию он носил совсем другую и немецкими пехотинцами не командовал. Под народным сопротивлением, по-видимому, подразумевался мой новый приятель в клетчатом — я не забыла, что при нашей случайной встрече в орешнике он отрекомендовался белорусским партизаном. Но об участии этого боевого беловежского товарища в какой-то реконструкции говорить не приходилось — он же ломал, а не строил!

Множество новых, интересных, но явно лишних вопросов закопошилось в моей голове. Я их оттуда безжалостно вышвырнула и сосредоточилась на том, чтобы выполнить боевую задачу номер два: взять в плен офицера СС. Третьей задачей, плавно вытекающей из второй, было перемещение военнопленного с театра шумных военных действий в тихую лесную глушь с последующей организацией классического допроса с пристрастием. Уж я бы расколола этого гада! Он бы как миленький рассказал все, что знал о таинственном исчезновении Раисы!

Увы, мне катастрофически не повезло. Хотя и не так катастрофически, как самому эсэсовцу, которого крепко контузило шальным булыжником. Шишка, вздувшаяся на его высоком арийском лбу, была похожа на скороспелую сливу — перезревшую, лопнувшую и сочащуюся красным.

— М-да, это явно не тот случай, когда раны мужчину украшают! — язвительно заметила Тяпа, разглядывая гигантскую шишку.

Брутальное головное украшение выглядело жутко, но оно не помешало мне опознать в павшем эсэсовце одного своего знакомого. До сих пор этого форменного негодяя я видела, главным образом, со спины. Теперь, когда он потерял фуражку, затенявшую лицо, я увидела, что это тот самый симпатяга, который приводил меня в чувство на лестнице отеля.

— Павел, — первой припомнила имя загорелого белокурого «принца» глубоко разочарованная Нюня.

Я не сдержалась и еще разок двинула ему ладонью по мордасам. Совесть меня не мучила: если вдуматься, он первый начал! Так же нахлопывал меня по щекам!

— Выходит, он все-таки не миллионер, — Нюня с трудом расставалась с милыми сердцу мечтами. — Выходит, он и есть тот самый Невидимка!

— Не факт, — возразила Тяпа, не потерявшая головы. — Невидимка не знает, где Раиса. А этот — знает!

— Тоже не факт! — возразила я. — Мы предположили, что эсэсовцу Паше известно местонахождение Раисы, только потому, что их видели вместе в ту ночь, когда она пропала. Мы решили, что Павел причастен к ее исчезновению. А если это не так?

— Тогда он свободно может быть Невидимкой, который не знает, где Раиса, но очень хочет ее найти! — сделала правильный вывод Нюня.

— Зачем? — спросили мы с Тяпой и посмотрели на пленного, жалкое состояние которого никак не позволяло заставить его заговорить.

Если бы он хотя бы что-нибудь прошептал! Тогда я бы сравнила его шепот с незабываемым жарким шкворчанием Невидимки, и прояснила бы хоть один вопрос. Но штандартенфюрер Паша валялся в подлеске, как таракан, прибитый тапкой, вызывая у меня противоречивые желания: убить гада окончательно или вернуть его к жизни для последующего предметного разговора с клещами и раскаленным утюгом.

— Вот он, здесь! — пробив собой хрупкие ветви орешника, в наше с пленником укрытие клетчатой бомбой влетел белорусский партизан.

За ним бежали два санитара с носилками.

— Ох, ничего себе! — уважительно молвил первый медбрат, увидев Пашину шишку.

— Ну, ни фига себе! — сказал второй.

Парни попались неразговорчивые. Они ловко и бережно переложили раненого на носилки и потащили в лес. При этом на моем лице, видимо, отразилось так много разнообразных эмоций, что беловежский товарищ сочувственно сказал:

— Вы не волнуйтесь, он поправится. В третьей горбольнице самые сильные травматологи! Я в прошлом году большой палец на ноге вывихнул, так мне его за полминуты обратно вправили!

— Посмотрела бы я, как ваши травматологи будут вправлять обратно Пашину шишку! — зло съязвила я.

— А и правда, надо бы на это посмотреть! — встрепенулась Тяпа. — Горбольница — это сила. Авось очухается герр Пауль, а тут и мы с утюгом!

— Где эта третья горбольница? Как туда добраться? — спросила я хорошо информированного белоруса.

— Хотите поехать в больницу? Вот здорово! — обрадовался компанейский партизанский парень. — Я вас провожу, мне тоже нужно одного товарища проведать.

— Тоже в травме? — спросила я сугубо из вежливости.

— Нет, в легочном, — ответил белорус и заметно погрустнел.

— Не иначе его партизанский товарищ лежал в засаде на снегу! — сочувственно прошептала добросердечная Нюня.

Мы помнили, что климат в беловежских лесах отнюдь не субтропический.

— Нам сюда, так будет короче, — сказал здоровый партизан, увлекая нас на кривую тропинку.

Она огибала руины, в которые стараниями моего беловежского компаньона превратилось вражеское укрепление. Мы как раз проходили мимо образовавшегося завала, когда из-под него послышался слабый стон.

— Еще один раненый!

Мой боевой товарищ без раздумий свернул с тропинки и принялся растаскивать завал. Я стала ему помогать, и вместе мы быстро раскопали здоровенного, как медведь, мужика.

Медведь был натурально бурый, сплошь испачканный коричнево-рыжим лесным глиноземом и раздавленной листвой. Он еще не пробудился от зимней спячки и вяло ворочался, басовито мыча, но я легко представила, каким опасным и страшным зверем он станет, когда проснется. Я уже наблюдала этого типа в гневе — это был незабываемый Кинг-Конг из «Перламутрового»!

— А он-то что тут делает?! — нехорошо изумилась Тяпа.

— Лежит, валяется, — боязливо пробормотала Нюня. — Ну и пусть себе лежит, а нам надо делать ноги.

Это была хорошая и, главное, своевременная мысль.

— Вы тут с ним побудьте, а я медиков догоню, скажу, чтобы еще одного пострадавшего посмотрели! — быстро сказала я дружественному белорусу и, не дожидаясь ответа, побежала в лес.

Третью горбольницу я как-нибудь найду и без провожатого, а от Кинг-Конга надо уходить, пока он не очнулся.

Да не осудят меня последователи Махатмы Ганди и матери Терезы, но никаких медиков к раненому врагу я не позвала. Я ланью промчалась через лес, выскочила на шоссе в том самом месте, где с него сошла, и очень удачно поймала такси. Водитель как раз высадил пассажира на другой стороне, нагло развернул машину на дороге, и тут же ему призывно засемафорила я!

— С войнушки? — хмыкнув при виде моей одежды, еще недавно чистой и монохромной, а теперь окрашенной в теплые земляные тона армейского камуфляжа, спросил таксист. — Ну и как — «наши» победили?

— Пока да, — ответила я, как сама понимала.

Внутренние голоса дружно подсказывали мне, что это еще не последний бой.

— Куда едем с фронта? — водила снова хохотнул. — До дому, до хаты?

— До третьей городской больницы!

— В медсанбат, значит, — назойливый весельчак заржал и включил погромче радио, а сам наконец заткнулся.

Я закрыла глаза и погрузилась в раздумья, которым не было конца.

Под уголовно-лирические напевы «Радио Шансон» ни о чем другом, кроме разбойного Кинг-Конга, мне не думалось.

— Одно из двух! — сосредоточенно помолчав, сказала Тяпа. — Либо этот зверовидный тип заодно с эсэсовцем Пашей, либо у него в этом деле какой-то свой интерес. И он не обязательно связан с Райкой.

— Он хотел знать, на кого Таня работает, — припомнила Нюня.

На этот вопрос я могла бы ответить честно и без затруднений: в данный момент — ни на кого, я в отпуске, а вообще — на краевую администрацию. Только мне почему-то казалось, что этот прямой ответ приставучего Кинг-Конга не удовлетворит.

— Ладно, девочки, давайте решать задачки в приоритетном порядке, — предложила Тяпа. — Сейчас мы едем в больницу, находим там Павла и, если медики его уже оживили, задаем несколько вопросов.

Программа была простая и ясная, но реализовать ее не удалось — хваленые специалисты отделения травматологии еще не успели применить к герру офицеру чудеса своего врачебного искусства. Такси мне попалось быстрое, так что я приехала в больницу лишь на несколько минут позже, чем «Скорая» с Павлом на борту. Зато мне не пришлось долго искать нужного пациента в многопрофильном учреждении здравоохранения — его как раз оформляли на госпитализацию.

Я застала этот процесс на самой ранней стадии. Просочилась в длинный коридор вслед за каталкой, на которую Павла перегрузили со «Скорой», и дошла до приемного отделения, прячась за широкой спиной санитара.

На приеме дежурили толстая докторша, с трудом поместившаяся в белый халат, похожий на парашют, и очкастая пигалица-медсестра, растопырившая острые локти вокруг журнала с записями. Санитар или врач неотложки ждал, пока ему дадут какую-то бумажку.

— Вот что значит немцы — культурная нация! — одобрительно гудела докторша, нависая над каталкой с больным, как аэростат. — И паспорт, и медицинский полис — все при себе, в лучшем виде, в нагрудном кармашке!

— Ага, а вот ребята из второй бригады звонили, не знают, что с другим травмированным делать, — поддакнул санитар или врач. — У мужика на теле множественные травмы — и никаких документов! На войну он пошел, растяпа...

— Надо брать пример с цивилизованной Европы, — назидательно сказала докторша. — Вот у нас какой мальчик хороший, просто образцовый пациент, все документы в наличии. Пиши, Зин: Павел Петрович Оль... Оль-ден-бург-ский, во как!

— Девки!!! — обо всем забыв, восторженно взвизгнула Нюня. — Так он же и вправду принц!

— Сейчас, Вера Дмитриевна, одну секунду, — медсестра отдала полномочному представителю

«Скорой» бумажку и приготовилась писать под диктовку.

Парень с бумажкой вышел и оставил меня без прикрытия, а я не успела отпрыгнуть подальше в коридор, медсестра меня заметила и так округлила свои голубенькие глазки, что они вышли из берегов очочной оправы. Между прочим, это очень скрасило ее постную физиономию.

— Что такое, Зин? — Заметив в наружности своей неказистой медсестрички неожиданную перемену к лучшему, докторша обернулась к двери, увидела за ней меня и повторила на два тона громче: — Что такое?! Вы куда в таком виде, девушка?!

— Больная, что ли? — пискнула из-за спины обширной Веры Дмитриевны пигалица Зина.

Не знаю, что она имела в виду. Чтобы не злить Тяпу, способную на неадекватные поступки, я предпочла думать, что речь идет о моем физическом здоровье, и с достоинством сказала:

— Не больная, а пострадавшая! Тоже с поля брани, между прочим. Партизанский отряд имени генералиссимуса Голипольского! Международное лесное братство!

— В очередь, — окинув меня неласковым взором, буркнула докторша и захлопнула дверь, едва не прищемив мне нос.

— Конечно, принцем заниматься не в пример интереснее, чем простой партизанкой! — обиженно пробормотала Нюня.

— Конечно, принцем мы бы и сами занялись в первую очередь, — подтвердила Тяпа.

Я отступила в коридор, села на клеенчатую банкетку и стала ждать своей очереди. Кстати, даже и неплохо будет, если докторша посмотрит и обработает мои царапины и ссадины.

Ждать пришлось недолго. Минут через пять дверь распахнулась, и аэростат в белом халате прогудел:

— Следующий!

Я вошла и со скромной гордостью предъявила боевые ранения. Они не вызвали у докторши ни большого интереса, ни великого участия. Мои царапины и ссадины деловито промыли, бестрепетно намазали раствором бриллиантовой зелени, и на этом все лечение закончилось. Меня еще обозвали неженкой — за то, что я вертела головой, уводя ссадину на щеке от соприкосновения с шомполом, пропитанным зеленкой. Я молча проглотила обиду и не стала объяснять, что крутила головой исключительно в попытке увидеть предыдущего пациента. Ни Пауля, ни каталки, на которой он прибыл, в кабинете не было. Очевидно, его вывезли через другую дверь и отправили в отделение.

— Хорошо бы узнать, в какое именно! — подсказала Тяпа.

— А как Паша? — спросила я докторшу, изображая крайнюю степень участия. — Он очень сильно ранен?

— Вы с ним знакомы? — в голосе пигалицы-медсестры прозвучали нотки ревности: «Смотрите-ка, замухрышка еще поплоше меня, а тоже западает на принцев!»

— Кто же не знает Ольденбургских, — ответила я уклончиво и не без высокомерия — ясно же было, что как раз присутствующим никакие Ольденбургские не ведомы вовсе.

А вот я знала одного принца Ольденбургского — Александра Петровича! Не лично, конечно, а по рассказам дедушки, который, впрочем, тоже не водил непосредственного знакомства с этой августейшей особой.

Как народный депутат, представляющий в Госдуме интересы самого южного региона страны, мой дедуля сильно озабочен судьбой отечественных причерноморских курортов. Волнует его, главным образом, настоящее и будущее южнороссийских здравниц, однако с присущей настоящему математику дотошностью (дедуля бывший преподаватель) наш депутат ищет и корни нынешних проблем, и истоки будущих побед в славном прошлом. А найдя что-нибудь интересное, он по неистребимой учительской привычке делится информацией с окружающими, да так настойчиво, что и захочешь не услышать, а не получится.

Про принца Александра Петровича, представителя Ольденбургского герцогского дома, потомка младшей ветви герцогов Гольштейн-Готторпских, правнука российского императора Павла I, дедуля рассказывал, когда я болела свинкой. Эта неприятность приключилась со мной в зрелом возрасте, двадцать пять лет, и на несколько дней буквально приковала к постели — не потому, что я не могла ходить, просто безобразно раздувшуюся щеку можно было спрятать только за большой пуховой подушкой. Дедуля, сам едва открывший для себя благородные деяния Ольденбургского принца, использовал мою временную беспомощность в просветительских целях. Так я узнала, что сей родич немецких герцогов и российских императоров был боевым генералом, членом Государственного совета России и сенатором, создателем первого в стране исследовательского центра в области медицины и биологии, а также основателем лечебного курорта в Гагре. Сердце принца волновали широкие прибыльные замыслы сотворить из Гагры современный европейский курорт — «Русскую Ниццу». Сделал он для этого очень много, но по не зависящим от него причинам как следует насладиться плодами своих трудов не смог — не дали большевики. Так что закончил свою жизнь деятельный принц в изгнании, где-то в том самом районе Французской Ривьеры, который брал за пример идеального курорта.

Все это я вспомнила уже по дороге в гостиницу. Докторша Вера Дмитриевна категорически заявила, что на ближайшие три-четыре часа больничным будуаром принца Паши Ольденбургского будет палата интенсивной терапии, куда никому, кроме медперсонала, доступа нет. Кажется, на этой фразе не в меру амбициозная и ревнивая пигалица Зина показала мне язык, хотя я могла и ошибиться. Я так устала от незапланированных ратных дел, что чувствовала настоятельную потребность уединиться на часок-другой в своем гостиничном будуаре, принять душ, поесть и поспать.

Очередной таксист довез меня до отеля и высадил у самого входа, куда я проскочила беспрепятственно, так как сделала это в темпе, значительно превышающем скорость реакции швейцара. В холле на моем пути чисто одетые граждане расступались и застывали в причудливых позах с вывернутыми шеями и открытыми ртами. Я вполне поняла их реакцию, когда вошла в свой номер, — из зеркала навстречу мне шагнуло такое дивное создание, что ни в сказке сказать, ни пером описать.

— Гений грязной красоты! — поэтично выразилась Нюня.

После пятнадцатиминутного отмокания под душем пятна крови и грязи с меня бесследно смылись, но зеленочные разводы остались, только слегка поблекли.

— Ну вот, так уже гораздо лучше, — неуверенно сказала Нюня, когда я рискнула вновь приблизиться к зеркалу.

От мысли поспать я отказалась в пользу идеи поесть. Кушать хотелось просто нестерпимо! Я ведь уже больше суток ничего не ела, только время от времени что-то пила. Чтобы не погибнуть в одночасье, надо было срочно найти какую-нибудь кормушку.

Покопавшись в шкафу, я обнаружила, что мои запасы чистой одежды, удобной для забегов, восхождений, прыжков и падений, джинсово-маечной коллекции подходят к концу. Знай я заранее, какой оригинальной будет программа курортного отдыха, запаслась бы не купальниками из бутика, а десантным обмундированием с военного склада! За неимением более презентабельных нарядов пришлось надеть обычные тренировочные штаны. Украшающие их широкие лампасы органично продолжали военную тему. Сверху я натянула джемпер, который приберегала на самый крайний случай, так как скромницу Нюню сильно смущала его небанальная расцветка. Алые концентрические круги на белом фоне сильно напоминали две стрелковые мишени и с неприличным намеком ложились точнехонько на мою девичью грудь. Я надела джемпер на голое тело, и красные кружочки в центре каждой мишени задорно оттопырились.

— Лично я не вижу в этом ничего плохого! — заявила бесстыжая Тяпа. — Даже наоборот: такая пикантная деталь...

— Две детали, — мрачно пробурчала смущенная Нюня.

— ...будут прекрасно отвлекать внимание от обгоревшего лица с царапинами и ссадинами в зеленочной замазке! — невозмутимо закончила моя нахалка. — Но, если кому-то не нравится задорный спортивно-сексуальный стиль, можно надеть к треникам белую шелковую блузку с кружевным жабо. Это тоже будет по-своему эффектно. В стиле «я у мамы дурочка».

Маминой дурочкой выглядеть не хотелось, а к образу задорной развратницы я уже начала привыкать, так что благородная блузочка осталась висеть в шкафу. К тому же глубокие карманы спортивных штанов позволяли обойтись без сумочки. Я не стала брать ни ее, ни даже кошелек, только кредитку: разъезды на такси практически исчерпали мои запасы наличности, так что пора было переходить на пластиковые деньги. В другой карман я положила Райкин мобильник — за время моего отсутствия он как раз успел зарядиться.

Первый приступ дурноты я ощутила, уже шагая по коридору. Из служебного помещения дежурной по этажу густо пахнуло борщом, и мой бедный желудок заскулил и запрыгал, как голодная собачка. В лифте, где я и без того балансирую на грани обморока, я почувствовала себя совсем нехорошо, и в лобби вышла нетвердой поступью невинной жертвы морской болезни.

— Не подскажете, где ближайший банкомат? —

с усилием сглотнув наполнившую рот горькую слюну, слабым голосом спросила я портье.

— На набережной, — любезно ответил он. — На выходе из отеля поверните налево, потом по дорожке в обход горы, оттуда вниз по лестнице — и придете прямо к банкомату!

Пустой желудок протестующе пискнул, веки мои устало опустились, и радужные пятна под ними просигналили, что на тот свет я приду значительно скорее, чем к банкомату. Мое лицо, отразившееся в зеркальной поверхности стойки, из красно-зеленого сделалось серым с прозеленью, как замшелый мрамор.

— В бар под лестницей, живо! — сориентировалась Тяпа.

Кофе с булочкой за счет заведения «Дядя и К°» могли спасти мою молодую жизнь. Я собралась с силами и поплелась «на базу».

Буфетчица, поутру не показавшаяся мне душевной женщиной с большим добрым сердцем, на сей раз отнеслась ко мне с материнской заботливостью.

— Совсем заездили? — сочувственно взглянув на мою беломраморную физиономию, спросила она.

И, не дожидаясь ответа, выставила на стойку тарелку с бутербродами и дымящуюся чашку. Я благодарственно кивнула, переползла с гуманитарными кормами за ближайший столик и накинулась на еду с таким аппетитом, что затрещало за ушами.

За этим треском и чавканьем я не расслышала приближающегося цокота каблуков и увидела Катерину, лишь когда она бухнулась напротив меня:

— Привет, подруга!

— Угу, — невнятно сказала я, вгрызаясь в четвертый по счету бутерброд.

Жизненные силы ко мне уже вернулись, а хорошее воспитание запаздывало. Впрочем, у Катерины манеры тоже были не ахти: она без спросу цапнула с моей тарелки последний бутерброд и бестактно сообщила:

— Хреново выглядишь!

— Знаю, — сказала я и шумно допила свой кофе. — Еще бы не хреново! Тебе бы так: рота солдат с пистолетами, трах-бабах, елки-палки, лес густой!

— Ниче себе! — Катерина поперхнулась бутербродом. — Ну, ты стахановка! Че, правда рота?!

— Может, и больше, я не считала.

— И че, где ты нашла этих солдат? — Катька заерзала на стуле.

— В лесу, — честно ответила я, не вникая в суть ее вопросов.

Сытая дрема, накатившая на меня после еды, сильно затуманила предмет разговора. Но Катерина сумела освежить мое внимание неожиданным политическим заявлением:

— Все-таки не зря наш президент говорит, что опорой экономики страны должно стать частное предпринимательство!

— Че? — икнула я.

— Гля, сколько клиентов ты обслуживаешь сама по себе, как частный предприниматель! Больше, чем вся наша бригада! — объяснила Катерина.

Я вытаращила глаза, и мои поблекшие было щеки вновь приобрели яркий цвет спелого помидора.

— Ну, дожили! — огорчилась Нюня. — Зарабо-

али устойчивую репутацию путаны широкого
профиля и высокой пропускной способности!

— Хорошо работать на свой карман? — не от-
тавала Катерина. — Расскажи мне...

— Нет, это ты мне расскажи! — перебила я, торопясь сменить неприятную тему. И спросила
первое, что пришло в голову: — Что это ты делала
с розеткой на лестничной площадке?

— Тише! — Катерина заволновалась, как квaш-
ня в кадушке. — Не ори, не дай бог кто услышит и
Генке донесет!

Она испытующе посмотрела на меня и покри-
вилась:

— Принесла тебя нелегкая! Такую нычку спа-
лила!

— «Нычка» — это тайное место, «спалить» —
рассекретить, — быстро перевела Тяпа, вспомнив
сленг, на котором изъясняются преступники в по-
пулярном сериале про ментов.

— Теперь у меня будут проблемы с бабками, —
закручинилась Катька.

В свете вышесказанного было понятно, что
речь идет вовсе не о престарелых родственницах.
Что «бабки» — это деньги, в нашей стране сегодня
знают даже те, кто по праву назывался этим словом со времен Киевской Руси. К примеру, когда к
интеллигентной супруге моего дедушки в подво-
ротне с вопросом «Бабки есть?» подрулил пьяный
молодец с кастетом, она без раздумий дала мерзав-
цу кошелек, а не список своих дряхлых подружек.

Тем не менее связь между деньгами и розеткой
была мне совершенно непонятна.

— Да эта розетка с Нового года не работает, —
объяснила Катерина. — Зимой делали евроремонт,

проводку поменяли, все шнуры протянули в коробах и за подвесным потолком. А старую, которая в стенах была, где замуровали, а где просто заглушками закрыли.

Я вспомнила ту розетку — круглую коробочку с двумя дырочками, пустую, без всяких потрохов, и догадалась сама:

— За фальшивой розеткой в стене у тебя маленький тайник? Хитро придумано! И что же ты там прячешь?

— Деньги, что же еще! Это мой личный сейф, — Катерина снова оглянулась, еще понизила голос и пожаловалась: — Думаешь, нам много платят? Как же, дождешься! Хорошо, если клиент попадется не жадный и набросит сотню-другую сверху, но наши бычки и эти крохи прибрать норовят. Не спрячешь — отнимут. А куда прятать? У меня, ты видишь, все на виду, и ни сумки, ни карманов.

— В чулок, — посоветовала я, вновь вспомнив ценный Райкин опыт.

— Так я же раздеваюсь по три раза за ночь! — напомнила Катька. — При нашей работе заначки на теле — это нереально: клиенты лапают, бычки шмонают... Нет, мне без сейфа никак!

Она закатила глаза и мечтательно протянула:

— За сезон накоплю тыщ двести, и будет у меня куча денег! Вернусь к себе в деревню и замуж выйду! А че? Меня с таким приданым любой возьмет!

— Куча денег в розетку не поместится, — сказала я.

— А я их при случае из стены выгребаю и в сберкассу отношу. Чай, не дура, — похвасталась Катерина. — И потом, у меня же там не одни деревянные, я при случае, когда интурист попадается